AIなき世界に戻れるか？

物理学者、17の思考実験

須藤 靖
Suto Yasushi

インターナショナル新書 144

はじめに

物理学は自由だ。すでに40年近く物理学を生業とし、清貧に暮らしてきた私が到達した結論の一つである。

この世界の振る舞いは、ごく少数の基本物理法則のセットによって支配されている。法則に反する現象は決して起こらない（ただし、それらの法則を現在の我々が完全に理解しているわけではないのだが）。だからといって、この世界はガチガチに縛られた退屈なものではない。単純な予想とは全く異なり、我々の住んでいる世界が驚くべき多様性と美しさに満ち溢れていることには、皆さんも同意していただけることであろう。

そんな世界を理解する試みの総称が学問であり、（物理学者以外の大多数の方々の反感を買うであろうことは承知の上で言うならば）さらにその代表的分野が物理学である。物理学、そして物理学者が自由でなければ、この世界の根源と多様性を解明することなどできるはずがない。

といった口実を大義名分として、私は２００７年から17年間にわたり東京大学出版会の月刊ＰＲ誌『ＵＰ』（ユーピーと読む）に自由な雑文を書き続けてきた。本書はそれらの中から２０１８年以降に書いた15篇を選び、さらに別の雑誌に書いた2篇を加えてまとめたものである。『ＵＰ』の雑文を収録した本としては、6冊目、そして最後となる。

この機会に改めてこれまで書いてきた雑文の題材を振り返れば、自分の興味の変遷が感じられる。当初は、ごく身の回りの出来事を物理学に（無理やり）結びつけるような話が多かったが、やがて教育、受験、大学という制度にまつわる話題が増えてきた。そして、ここ4、5年は、我々はこの世界をどこまで理解できるものなのかといった怪しげな考察に取り憑かれてきたようだ。

私は科学哲学嫌いを公言しているのだが（そのため必要以上に敵を増やしてもいる）、そのような考察は真っ当な物理学者の方々からはむしろ「哲学的」と分類され遠ざけられても仕方ないかもしれない。年を取るとはそういうことなのだろう。

とはいえ、人間が世界を理解する限界の考察は、人工知能がどこまで人間を凌駕するかという疑問と表裏一体でもある。「猫も杓子もＡＩ」という昨今の風潮に便乗するつもりはないものの、ＡＩ絡みの文章が多くなっているのはそのためである。本書のタイトル『ＡＩなき世界に戻れるか？』は、そのような観点を強調したものだが、日進月歩のＡＩを前にすれば、すでにその答えは自明なのかもしれない。

さて、驚くべきことにこの「はじめに」に与えられた字数がそろそろ尽きかけてきたにもかかわらず、いまだ本書のタイトルの説明以上の情報量はゼロである。ま、それはそれでいいだろう。今回の17篇をそれぞれ簡単に紹介するよりも、それらのタイトルを眺めて直接読み進めてもらうほうが手っ取り早い。物理学や数学の偉人とその逸話、宇宙における生命さらには知的文明の存在を理解しようとする試み、ＡＩと共生する未来社会の姿、観測不可能な領域にまで広がる宇宙とそこで採用されているかもしれない（この世界とは異なる）物理法則などなど、通常の一般科学書では著者の教養が邪魔して書くことがはばかられているようなテーマを、あえて臆面もなく思考実験してみた。とはいえ、決して科学的に否定されるような結論を主張しているわけではないのでご安心を。ちょっとだけ眉に唾つけながら、必要に応じてツッコミを入れながら皆さんもそれぞれの思考実験を楽しみながら読んでいただければありがたい。物理学は自由であることを堪能していただく一助となれば幸いである。

目次

AIなき世界に戻れるか？

善し悪しはともかく、いまや我々の身の回りの社会がＡＩに翻弄されつつある。私自身を含めた高年齢層には、そのようなＡＩが氾濫する状況に対して否定的な意見の持ち主が多い。それとは逆に、大多数の若者はＡＩを肯定的にとらえている。今後の社会においては、いかなる職業であろうとＡＩを活用できるスキルは不可欠だろう。私のような高年齢層は別として、ＡＩに対して文句をたれているだけの若者がいたならば、社会非適合者としてこれから長く辛（つら）い人生を送る可能性が高い。若者がＡＩをポジティブに受け取らざるを得ないのも当然だろう。[*1]

ところでこの種の放談をしていると、「ＡＩが人類の存在をおびやかしそうになったなら、その電源を引っこ抜くかハンマーで壊してしまえばいい」という、文字通りナイーブな（フランス語ではなく英語の世間知らず、アホという意味）解決策を主張する高年齢者が少なくない。その楽観的見解には驚かされると同時に、ＡＩという単語から想像される実体に対する解釈の違いが大きいことにも気づかされた。そこで今回は私が考える（広義の）ＡＩと未来社会についてつらつら書きなぐってみたい。

１　ＡＩ＝ネットワークで接続された計算する機械の集合体

ＡＩという単語はすでに人口に膾炙（かいしゃ）しているというべきだが、その指すところの実体は曖昧だ。そもそも「知能」に対する明確な定義が存在していないのだから、極めて当然である。そのためかどうかはわからないが、人工知能よりもＡＩという何の略かわからない言葉のほうが広く用いられているようだ。

とはいえ、ごく大雑把には、ある具体的な問題に対して人間と同等（以上？）の解決能力を有する「装置」を指していると考えてよかろう。その装置の内部がどうなっているかを問う必要はなく、文字通りブラックボックスであってよい。おそらくその箱の中には、ハードウェアとしてのコンピュータ[*2]と、その上で動作するプログラム（ソフトウェア）とが共存しているであろう。さらに、最近のＡＩは計算するだけでなく学習し自ら進化する

＊１　**門前のＡＩ習わぬ経を読む**：本書２０８ページ参照

機能が不可欠であるため、孤立した装置ではない。ネットワークを介して古今東西の膨大な情報を取得し解析できる機能をも備えているはずだ。

その意味では、現在のＡＩとは、もはや単なる人工知能という言葉を超えて、ネットワークで接続された計算する装置の集合体と表現するほうが適切であろう。したがって、ＡＩとは時間的にも空間的にも局所的なものではなくなっている。例えば、ChatGPT（Chat Generative Pre-trained Transformer）の利用者は、そのＡＩ本体がどこに存在しているかなど気にしたことはないだろうし、その必要もない。

ところで、人間の知能という場合、脳の抽象的な機能を指すほうが一般的で、脳という実体、さらには人体というハードウェアまで含めることは滅多にないだろう。それと同じく、ＡＩもコンピュータ上で動作するプログラム（ソフトウェア）程度の意味で使われるほうが普通かもしれない。

2　「機械は思考できるか？」：チューリングテスト

知能という言葉が定義できない以上、何をもってＡＩと呼ぶべきかは禅問答になりかねない。とすれば、いっそややこしい定義などすっとばし、上述のブラックボックスに様々な入力を与えたときの出力を用いて、それが人間と区別できるかだけで「知能」と呼ぶに値するかどうか判断すれば良い、という立場もっともだ。これがアラン・チューリング（1912-1954）による1950年の論文「計算する機械と知性」で展開された考え方である。

コンピュータ理論の原型をつくったアラン・チューリング　©Science Photo Library／amanaimages

その論文中でチューリングが模倣ゲーム（imitation game）[*3]と呼んだ提案とは少し異なるものの、ブラックボックスを開けることなく電子的な会話のみからその中に人間が入っているのかどうかを当てようとするのが（広義の）チューリングテストである。チューリングテストに合格（すなわち第三者に、ブラックボックスの中には実際に人間が入っていると思わせることに成功）した機械は「知能」をもつ、とみなそうというわけだ。

チューリングは「機械は思考できるか？」という問いに対する回答の中で模倣ゲームを提案した。彼が想定していた「機械」こそ現在のＡＩである。そして、今やＡＩは、チューリングが提案した模倣ゲームに十分合格するレベルにある。教育現場でChatGPTの使用を制限したり、あるいは逆に、会社や官公庁でそれを積極的に利用することで仕事の効率化を図ろうとしたりする動きが相次いでいるのは、まさにＡＩが模倣ゲームを超えて通常の人間（以上）の役割をこなせるようになった証拠そのものだ。

むろんチューリングテストは機械が知能をもつことの必要条件でも十分条件でもない。しかしそれは、人間が本当に知能をもっているのか自体、客観的証明が困難なのと全く同じだ。この重要そうではあるものの不毛になりがちな論争を回避しているところが、チューリングの提案の秀逸な点である。

＊2　**コンピュータ≠計算機**：今やコンピュータとは計算する「機械」以外の何物でもない。しかし、computerというスペルからもわかるように、もともとは計算する「人」という意味だった。例えば、冥王星は、米国ローウェル天文台が雇ったコンピュータ（計算人）チームの

リーダーであったエリザベス・ウイリアムズ（１８７９－１９８１）の計算から予測された位置の近くに、クライド・トンボー（１９０６－１９９７）が１９３０年に発見したものである。ただしこの計算で仮定として用いられていた海王星の質量が過大評価されていたため、その予測は間違っていたことがわかっている。言い換えれば、冥王星の発見は間違った予測に基づいてなされた全く偶然の産物だったのだ（須藤靖著『宇宙は数式でできている　なぜ世界は物理法則に支配されているのか』朝日新聞出版　２０２２年参照）。また、劉慈欣著大森望他訳『三体』（早川書房　２０１９年）には、始皇帝がフォン・ノイマンの助言に従って3千万人の軍隊からなる「コンピュータ」を用いて太陽軌道計算を行う場面が登場する。

＊3　**Imitation game**：Alan Turing “Computing Machinery and Intelligence”, *Mind* vol.LIX, No.236, 433-460（1950）. チューリングは、この論文（というよりも極めて読みやすく魅力的なエッセイ）において、男性Aと女性BがプレイヤーCとメモのやり取りだけを通じて質問をかわすことで、CがAとBのどちらが男性でどちらが女性なのかを当てるimitation gameを考えた。AはCを騙し、BはCが正解を得るように助ける役割となっている。このAが機械に置き換わった場合、Aが人間である場合に比べて、Cの正答率が下がったとすれば、その機械は知性があると解釈してよいだろうというわけだ。チューリングを描いた映画のタイトル“The Imitation Game”『イミテーション・ゲーム　エニグマと天才数学者の秘密』は、この論文の内容とは必ずしもマッチしていないものの秀れた作品である。

3 「機械は思考できない」に対するチューリングの反論

ところで、現時点では「ＡＩは思考できない」という意見のほうが世の中の大勢を占めているようである。私は「現在のＡＩが未だ思考できない」とする主張に反対するつもりはない（一方で、古典的なチューリングテストという観点からは、現在のＡＩはすでに思考していると「定義」して問題ないとも考えている）。しかしながら、「未来永劫ＡＩは思考できない」という意見には全く与しない。そしてやがてＡＩは「知性」をもち「意志」までも獲得するはずだと確信している。

チューリングは、近い将来この模倣ゲームをクリアするデジタル計算機が登場することを確信していた。さらにその書きぶりからは、模倣ゲームに勝てるレベルどころか、機械がやがて高度の知性をもつことは必然だと考えていたことも明らかである。ＡＩがこれだけ取り沙汰されるようになった現在ならともかく、世界初の電子計算機[*4]が発表されたばかりの１９５０年の時点で、哲学的ともすら言える計算機の将来性を明確に主張したチューリングの先駆性には驚嘆させられる。

さらに素晴らしいのは、チューリングがその論文中で、予想される「機械は思考できない」と考える人々の論拠を以下の９つに分類し、一つずつ丁寧にわかりやすい比喩を用いて論駁(ろんばく)している点だ。現時点で「ＡＩは人間にはかなわない」とする人々の主張のほとんどもそれらに尽くされている。

① **神学的反論**（思考あるいは知性は、神が人間にだけ与えた特性であり機械はもち得ない）

② **現実逃避**（機械が思考すれば確実に恐ろしい帰結を生むだろう。だから機械は思考できないに決まっている）

③ **数学的反論**（機械が用いるデジタル論理は、イエス・ノー的な質問には答えられるものの、「ピカソをどう思う?」といったタイプの質問に回答することはできない）

④ **意識の欠如による限界**（喜怒哀楽がない機械には、詩を創ったり協奏曲を作曲したりすることは不可能）

⑤ **できることの限界**（機械にはどうしてもできないことがある。例えば、親切にせよ、美しくあれ、ユーモアをもて、善悪を判断せよ、失敗せよ、恋愛せよ、経験から学べ、適切に単語を用いよ、本当に新しいことをせよ、いちごの味を堪能せよ、など）

⑥ **ラブレス夫人**[*5]**の反論**（解析エンジンは何ら新しいものを創造しない。人間がどのよ

うにやればよいか具体的に命令できるもののみを、なんでも実行できるだけだ）

⑦ **神経系の連続性との本質的違い**（人間の神経系は連続的なアナログ回路というべきで、それらをデジタル回路からなる機械ですべて表現するのは不可能）

⑧ **与えられたルールを逸脱できない限界**（機械は与えられたプログラム＝ルールによってその振る舞いが完全に規定されており、それを逸脱することはできない）

⑨ **超能力の欠如**（人間と異なり、機械が超能力をもつことはできない）

これら想定内の反論に対するチューリングの再反論はいずれも秀逸で、あえてこの場で繰り返すまでもないのだが、少しだけ追加しておきたい。まず、①、②、⑨はさすがに取り上げる必要もなかろう。ただ興味深いことに、チューリングは、テレパシーを有する人間の存在が（当時）統計的には証明されていると信じていたようで、模倣ゲームは防テレパシー室で実行する必要があるかもしれないとすら述べている。それがわざわざ⑨が議論されている理由なのだ。

＊4　**ENIAC**：異なる見解もあるようだが、世界初の汎用電子計算機とされているのは、米国が開

発したＥＮＩＡＣ（Electronic Numerical Integrator And Computer）である。その開発資金はアメリカ陸軍が提供したもので、１９４６年に完成した。１９４３年にペンシルベニア大学で開発中のENIACの試作品を見たジョン・フォン・ノイマン（１９０３‐１９５７）は、「これで、ようやく私の次に計算の速い機械ができた」と述べたとされる（高橋昌一郎『フォン・ノイマンの哲学　人間のフリをした悪魔』講談社現代新書　２０２１年）。

＊５

ラブレス夫人：恥ずかしながら、私はこのラブレス夫人とは誰なのか全く知らなかった。そこでウィキペディアから学んだ結果を簡単にまとめておく。エイダ・ラブレス（１８１５‐１８５２）は、イギリスの貴族・数学者。イギリス人数学者であるチャールズ・バベッジ（１７９１‐１８７１）が設計した（実際に完成したわけではない）世界初の機械式汎用コンピュータである「解析エンジン」に関する著作があり、世界初のコンピュータプログラマーとして知られる。ところで、彼女は「音楽学の和音理論や作曲論で論じられてきた音階の基本的な構成を、数値やその組み合わせに置き換えることができれば、解析エンジンは曲の複雑さや長さを問わず、細密で系統的な音楽作品を作曲できるでしょう」と述べたという記述もあり、それはチューリングがラブレス夫人の反論として引用した部分のトーンとは正反対のように思える。実際、チューリングはその論文の中で、ラブレス夫人は本当は「解析エンジン」に創造性がないとは考えていなかったのではないか、と付け加えている。ちなみに、ラブレス夫人は詩人ジョージ・バイロン（１７８８‐１８２４）の一人娘である。

③と⑦は、デジタル世界がアナログ世界をどこまで「厳密」に表現できるかという本質的な難問である。[*6] 一方で、デジタル世界がアナログ世界を高い精度で「近似」できることは確かであるし、人間と同一ではなくとも、デジタル論理に基づいた異なる原理で思考する機械の存在までは否定できまい。

④、⑤、⑥は、ある意味では偏見あるいは人間の思い上がりに過ぎない。すでに現在のAIは「優れた」芸術作品を数多く創作しているから、④と⑥は（どこまでのレベルを期待するかにもよるが）間違いであることが証明済みだ。同じく、⑤で挙げられた例のいくつかはすでに実現している。そもそもそれらは、意識・思考・知性がいずれも「我々人間のもの」と同一であることを大前提としている点で、容認しがたい。仮にある種の感覚を欠いていたとしても、それは知性にとって本質的ではない。例えば、美醜にとらわれない知性は、否定されるものではないどころか、倫理的により優れていると評すべきではないだろうか。

⑧はまさに、古典物理学的決定論のもとで人間に自由意志が存在するかどうかという問題そのものだ。少なくとも我々が日常的に自由意志をもっていると信じられる（と錯覚できる）のと同程度に、自分に課されている絶対的ルールを意識することなく自由に動作す

る機械が実現しても何もおかしくない。その意味において、(将来の)AIは思考できるし、知性、意志、意識といったものを備えるようになることを否定する論拠にはならない。

4　AIなしの社会に逆戻りできるか？

ここで、やっと冒頭の「AIが人類の存在をおびやかしそうになったなら、その電源を引っこ抜くかハンマーで壊してしまえばいい」というナイーブな人間社会防衛策の実現可能性を考察してみたい。ここでは、AIがある種の意識を獲得し思考することで、人類がその動作を制御できなくなる状況の到来が前提となっている。ではまずその前段階として、ネットワーク接続されたコンピュータ(＝意識をもたないAI)の助けなしに今の社会が維持できるかを考えてみよう。

＊6　**宇宙はデジタルか？**：本書「眠れなくなる桁の桁の話」112ページ、須藤靖『不自然な宇宙　宇宙はひとつだけなのか』(講談社ブルーバックス　2019年)この宇宙のもつ自由度が有限であるとすれば、無限体積の中には現在我々が観測できる有限体積の宇宙と全く同じクローン宇宙が無限個存在するはずだという主張は、私が好む話題の一つである。

ＡＩと呼ぶかどうかは別として、いまや、生活インフラである電気・ガス・水道をコンピュータなしに安定に維持・供給することはできない。プログラムのバグのために、銀行のＡＴＭが全国で停止し大混乱を起こした例からもわかるように、日々の経済活動はコンピュータに大きく依存している。電車や航空機などの交通網をコンピュータなしに安全に制御することなどすでに不可能だ。言うまでもなく、軍事施設や原子力発電所のコンピュータが誤動作したり、突然停止してしまう非常事態は想像したくもない。つまり、現代社会はネットワーク接続されたコンピュータがなければ直ちに深刻な状態に陥るほど、それに強く依存してしまっているのだ。

さらに意識をもつＡＩが出現してしまえば、それを停止させる行為がより深刻な帰結をもたらすことは容易に想像できよう。意識をもつＡＩは、世界中にネットワーク接続されているすべてのコンピュータを支配したグローバルシステムと化す。その時点で、人間社会の基幹となるインフラを完全に牛耳ってしまうわけだ。「彼ら」にとって、その一部が物理的に破壊され動作しなくなったとしても、別に困らない。困るのは、その一部にさえ強く依存している人間社会の側だけだ。

とすれば、システムに影響を与えることなく、人間社会をおびやかす意識をもつＡＩの根幹部分だけを一挙に破壊する必要がある。しかしながら、「AIの意識」が、具体的にハードウェアとネットワークのどの箇所に局在化しているかを突き止めるのはほぼ不可能である。人間の場合とは異なり、AIの意識はある特定の部屋にあるハードウェアだけではなく、世界中のコンピュータに分散して存在する可能性が高い（し、安全のためにAIは自らそのようなコピーを複数準備していると考えるべきだ）。

さらには、意識をもったAIは、強大な国家権力に匹敵する自らのネットワークを駆使してなんでもできる。AIテロを企てようとする不埒な人間（グループ）は直ちに特定され、世界中の監視カメラ映像を解析して常に追跡・監視される。本人の銀行口座やクレジットカードなどが凍結され使用不能になるのは当然だ。機会を狙ってその人物が利用する電車や航空機のコンピュータを誤作動させ、事故に見せかけて抹殺してしまうかもしれない。現在、国家権力による弾圧として危惧されるあらゆることが、意識をもったAIなら容易に実行できる。

というわけで、AIが人類の存在をおびやかしそうになった時点では、もはや手遅れで、それを物理的に破壊することなど不可能だというのが私の結論である。もしそのような事態を避けたいとするなら、考えられる方策は以下の3つであろう。

Ａ：ただちにＡＩの開発をやめる
Ｂ：そもそもＡＩを使わない社会に回帰する
Ｃ：ＡＩに支配されつつも我々の存在価値を認めてもらい、ＡＩに共生してもらえる人間社会を目指す

２０８ページの「門前のＡＩ習わぬ経を読む」でより詳しく述べるように、方策Ａは一部の専門家の間では真剣に検討されているものの、実際の効果は期待できない。必ずやそれを守らない人物や国家が登場し、自分たちだけが高度なＡＩを開発し続けることで、世界の覇権を握ろうとするに違いないからだ。方策Ｂはもはやなかなか共感を得られそうにない。ただし、それに同意する人々が集まって、アーミッシュのような共同体を形成するスタイルは一部実現するかもしれない。そのような小規模社会はあり得よう。というわけで、最後の方策Ｃが私のお薦めであった。

実際にはこの３つのいずれもが決して容易な選択ではない。その一方で、これは社会変化に適応困難な高齢者にありがちな単なる悲観論に過ぎないかもしれない。いずれにせよ、

もはや近未来においてＡＩなき世界に戻る可能性はない。

チューリングは、１９５０年の論文の最後を次の一文で締めくくっている。

「我々はほんの少し先のことしか見通すことができない。にもかかわらず、それに向けて我々がやるべきことがたくさんあるのは明らかだ」

（２０２３年９月）

我々は宇宙人をどこまで理解できるのか

私がかねてより抱いている疑問の一つに、「地球人と宇宙人は互いのメッセージを理解できるのか」がある。今回はそれを大々的に論じてみたい。

中学校の国語の教科書に登場した文章で私が今でも唯一覚えているのは、言語学者の金田一京助（1882-1971）がアイヌ語を学ぶ際に用いた秀逸なアイディアである。彼は、紙に何やらわからない絵を描き、それを見た人々が口々に発する言葉が「これは何？」という意味に違いないと考えて、逆にその言葉を使って様々なものの名前を教えてもらったという逸話だ。

純朴であった当時の私は、なるほどちょっぴり頭を使っただけで重要な発見ができるものなのだなあ、と大層感激した。[*7] しかし、この方法が実践できる「宇宙人」は極めて限定される。そこで以下ではより一般的な場合にまで考察を深めてみたい。ただし、この「宇宙人」は、少なくとも我々地球人以上に高度な知性を備えており、我々とのコミュニケーションに前向きであると仮定する。

1　視覚を備えた宇宙人と直接コンタクトできる場合

これは我々が外国人を介して母国語以外の言語を学ぶ場合とさほど変わらない。文化・歴史・政治・宗教などに基づく微妙なニュアンスを別にすれば、理解し合えることはほぼ自明である。前述の金田一京助の逸話はさておき、日本を鎖国から開放する際に重要な役割を果たした、わが郷里高知県の偉人、ジョン万次郎[*8]（1827-1898）はまさにそれを証明している。

＊7　**教科書を鵜呑みにしてはならない**：その後50年近くの時間をかけて人生の荒波に揉まれたおかげで、この逸話にはかなり懐疑的になった。アイヌ語の語彙を収集するためのフィールドワークに出かけようと決意したほどの人間が、「これは何？」程度のアイヌ語を知らないことがあり得るだろうか。嘘とはまで言わずとも、それなりに盛っている可能性が高そうだ。世の常として、人々は真実を知りたいと期待しているわけではなく、期待していることが真実であってほしいと願うものだ。あるいは、義務教育の教科書に載っていようと、その内容を信じられなくなってしまった私のほうが歪んでいるのだろうか。

宇宙人を前にして具体的な物体を指差しながら、それらが互いの言語でどう呼ばれているかを確認し対応づけるという翻訳作業を繰り返せば、容易に相互理解に至るはずだ。具体的な物体が存在しないような抽象的な概念であろうと、地球人と同じく喜怒哀楽などの感情を備えているならば、宇宙人と寝食をともにし、経験を共有することで、ある程度まではわかり合えるようになるに違いない。

2　視覚を備えた宇宙人とデジタル信号を介して交信できる場合

しかし、直接コンタクトできないとなると途端に難易度は増す。例えば、堅固な壁で隔てられた隣同士の部屋にいる2人が、壁をコツコツと叩く音のパターンだけで意思疎通を図ろうとする場合を想像すればよい。その場合でも、何らかの視覚を備えているならば、以下のようにデジタル信号で画像情報を共有することで、相互理解は可能である。ただし、直接コンタクトできる場合と比べれば、膨大な時間が必要となる。

異なる2種類の音のパターンを0と1に対応させるならば、2進法のデジタル信号での交信に帰着する。ある長さからなる同じデジタル信号を繰り返し送信し続ければ、受信側はやがてある種の知的文明からのメッセージに違いないと気づくはずだ。ある2つの素数

aとbを用いて、その信号の長さをa×bに選んでおけば、受信側はそのデジタル信号を白黒のドットとしてa×bの2次元格子上に並べてみるだろう。つまり、相手に白黒デジタル画像を送信できることになる。一般論ではややわかりにくくとも、次の具体例を考えてみればまさに一目瞭然だろう。

1974年11月16日、天文学者フランク・ドレイク(1930-2022)は、プエルトリコのアレシボ電波望遠鏡から、約2万5千光年離れた球状星団M13に向けて電波信号を送った。アレシボ・メッセージと呼ばれるこの信号は、[*9] 1679(=73×23)ビットからなる。それを73行23列に並べ直し、0を黒、1を白で表示すれば、以下に示す図となる。

*8 **なぜジョン万次郎?**:私は、姓をもたなかった万次郎が、アメリカで、ジョンをファーストネームとする代わりに万次郎をファミリーネームにしたため、ジョン万次郎と呼ばれていたのだとばかり思っていた。しかし、ウィキペディアで確認したところ、救助してもらった捕鯨船ジョン・ハウランド号の名前をとって、アメリカではジョン・マン(John Mung)と呼ばれていたことを知った。「ジョン万次郎」は、1938年に直木賞を受賞した『ジョン萬次郎漂流記』(井伏鱒二)で用いられて以来広まったもので、それ以前には使用されていないとのこと。単なる思い込みは危険である。

1から10までの数
(2進法)

DNAを構成する水素、
炭素、窒素、酸素、リンの
原子番号(2進法)

DNAのヌクレオチドに
含まれる糖と塩基、
計12種の化学式

DNAの二重螺旋を
表す絵

人間を表す絵

太陽系の絵
(左端が太陽で、1段
上になっているのが
地球を示す)

アレシボ電波望遠鏡
の絵

これは、地球に知的文明が存在することを伝えようとしたもので、相互理解までは目的とはしていないのだが、[*10] 2次元デジタルイメージを理解できる「視覚」を備えた宇宙人に対しては、この方法はかなり有効である。子供の絵本や図鑑、さらには写真集や動画など、手当たりしだいに膨大な情報をひたすら送信し続ければよい。

この手法は容易に3次元に拡張できるので、受信側が3次元プリンタを用いると仮定すれば、立体的情報をも伝えることができる。それらのほとんどは、宇宙人にとって見たこともない物体であるにせよ、視覚的に認識できれば、デジタル画像の横に付け加えたドッ

＊9　**自著宣伝**：須藤靖：『情けは宇宙のためならず　物理学者の見る世界』（毎日新聞出版　2018年）所収「地球外文明は存在するか？」、『この空のかなた』（亜紀書房　2018年）所収「宇宙人へのメッセージ」で詳しく紹介している。

＊10　**交信は無理**：M13内の天体のどれかに知的生命が存在するとしても、このアレシボ・メッセージを受け取った旨の返信が地球に届くのは、5万年後である。その頃もなお地球の文明が維持されている可能性はほぼゼロだろう。直接コンタクトを求めてすぐ近くにやって来た宇宙人でない限り、双方向の交信は不可能で、一方的な受信あるいは送信しかあり得ない。つまり、ここで展開している考察は、交信に要する時間を無視した原理的な話でしかない。

ト文字列と対応させて、言語を理解してもらえるに違いない。

それどころか、彼らが我々地球人と類似した感情や意識をもっていると仮定するならば、古今東西の名作映画を字幕付きで鑑賞しまくってもらうことで、やがては、喜怒哀楽、愛情、道徳、審美眼などといった抽象的思考までをも共感してもらえるようになるかもしれない。

3 視覚をもたない宇宙人とデジタル信号を介して交信する場合

1977年に打ち上げられた探査機ボイジャーには、115枚の画像をアナログ信号に変換したものに加えて、多くの自然音、音楽、55ヶ国語での挨拶などを収めたレコード盤[*11]が搭載されている。これは地球人と同じ視覚あるいは聴覚を備えていることを前提としているわけだが、宇宙人に理解してもらうというよりも、彼らに地球文明の存在をアピールする、さらに正直に言えば、国民に夢を与えてポイントを稼ぐことを目的としているのだろうから、ま、良しとしよう。

実際、そのレコード盤には、当時の米国大統領であったジミー・カーターのメッセージ

This is a present from a small, distant world, a token of our sounds, our science, our images, our music, our thoughts and our feelings. We are attempting to survive our time so we may live into yours.

も収録されているとのこと。いかにも米国民向けの文言で、宇宙人がこれを読んだとしても感銘を受けるとは思いがたい。面倒くさいやつ、と思われるのが関の山ではあるまいか。

＊11　**レコード盤とフロッピーディスク**：１９７７年時点でレコード盤という選択には違和感がなかったのだろう。しかし、これは遠く離れた未来の（あるいは高度に発達した）文明に何を送るのがもっとも適切かという根源的な問題を提起している。レコード盤で音楽を鑑賞した経験がない大半の現代の若者と同じく、宇宙人がレコード盤を受け取ったとしても途方にくれるだけかもしれない。そういえば、かつてパソコンの記録媒体の標準であったフロッピーディスク（ＦＤ）を知る若者もほとんどいないだろう。実はほんの５、６年前まで、某大学の入試問題作成要項には「漏洩（ろうえい）を防ぐため、問題を作成する際、ネットワークに接続されたコンピュータは使用してはならない。必要な場合にはＦＤに保存すること」と、明記されていた。しかしこの時代にＦＤはあり得ないだろうとの当然の指摘を受け、その箇所は改訂された。一方で、「本当にセキュリティを高めるつもりなら、今や秋葉原の特殊な店に行かない限り入手できないＦＤこそ、正しい選択だ」との皮肉をこめた意見が続出した。

そもそも地球人の視覚は、太陽が放射する光の代表的波長域付近に感度をもつように進化している。とすれば、全く異なる環境下で生息する宇宙人が、我々と同じ可視域において視覚を発達させている必然性はない。一方で、何らかの空間認識能力をもつことなく高度な知的文明を発達させることは困難な気もする。ただし、その能力は我々が想像できる狭義の視覚とはかけ離れているかもしれない。

ある意味ではAIはその具体例である。コンピュータは（少なくとも狭義の）視覚を備えてはいないが、ペット型ロボットや人型ロボットは、あたかも我々を認識しつつ「意思疎通」しているように思えるほどのレベルに達している。ロボット掃除機、スマートスピーカー、Siriなどはすでに日常生活に完全に入り込んでいるし、早晩様々な職種で人間が意思疎通可能なAIロボットにとって代わられるに違いない。

むろん、我々とAIが互いに理解できる（ように思える）のは、「我々」が定めたデジタル符号列にしたがって動作するハードウェアを、「我々」が作り上げたからである。しかし逆にいえば、その基礎となっているデジタル符号列を宇宙人に送信し解読してもらえたならば、それに従うようなハードウェアを現地生産してもらうことも可能なはずだ。しかし、そのようなデジタル符号列をまず彼らに「解読」してもらえるかどうかは、自明で

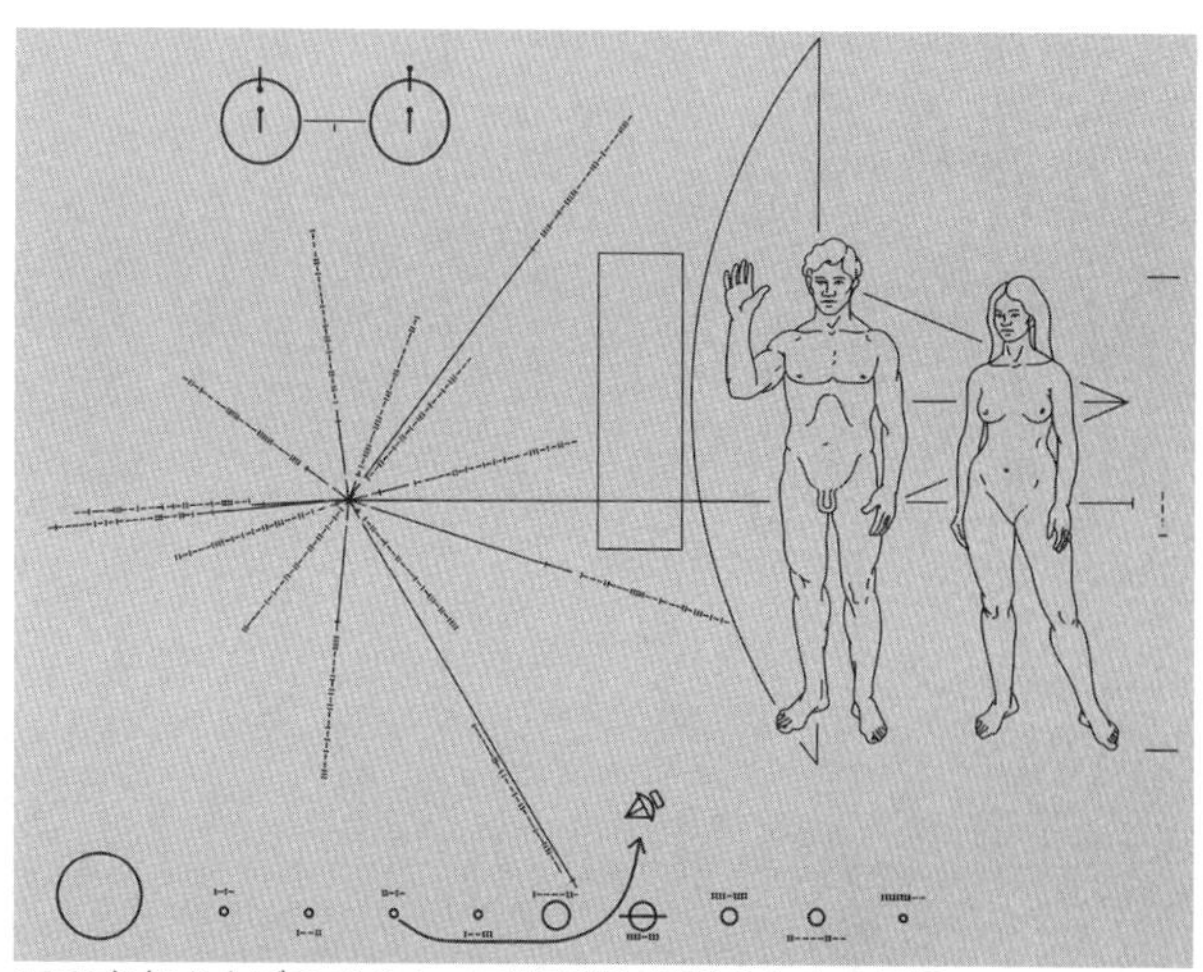

1972年打ち上げのパイオニア探査機に搭載された金属版

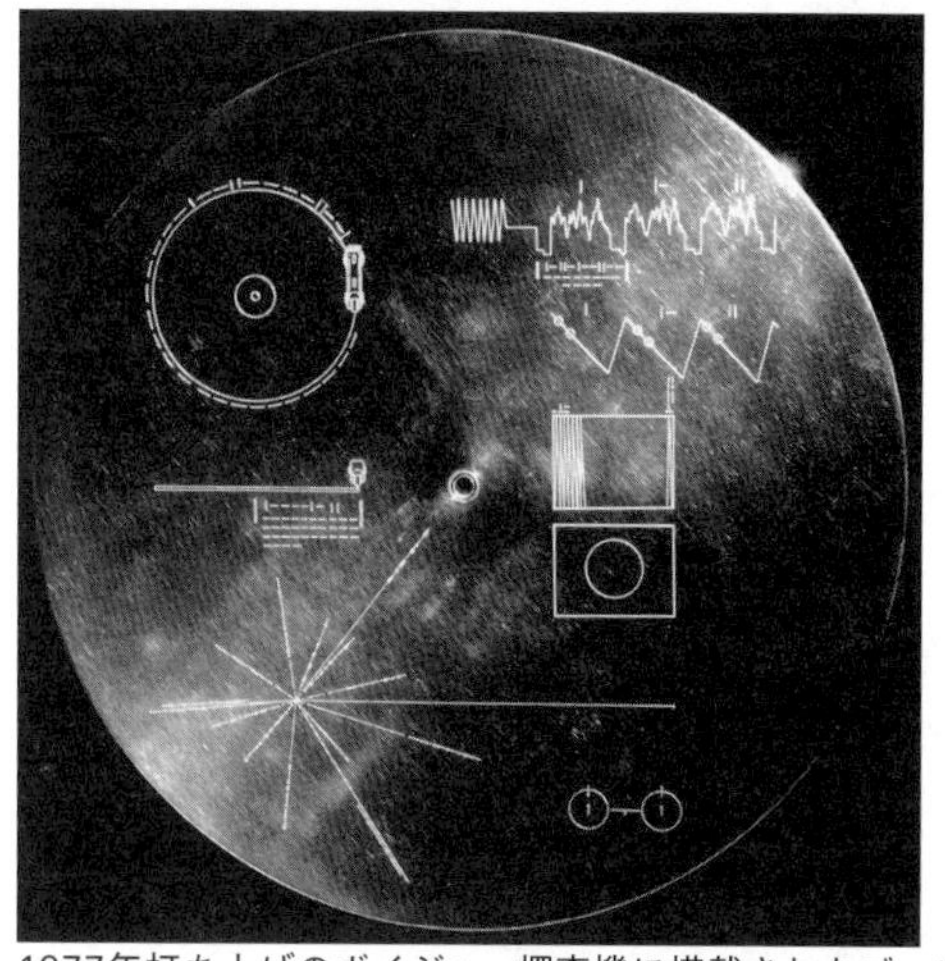

1977年打ち上げのボイジャー探査機に搭載されたゴールデンプレート（アナログレコード盤）

はない。では、いっそのこと宇宙人との相互理解そのものを、こちら側のAIと相手側のAIに丸投げしてはどうだろう。

4　AI同士が自動交信する場合

さほど遠くない未来、この地球上で、我々人類は確実に絶滅する。限られた地球上の資源では、現在の規模の人口と文明を今後1万年そのまま維持することは困難だろう。一方、工夫すれば（超ミニサイズの）電波望遠鏡やコンピュータを、はるかに長期間、無人運用し続けることは難しくない。

地球が誕生したのは今から46億年前、地球外知的文明と交信可能な科学のレベルに達したのは高々過去100年程度でしかない。1万年後に人類文明が絶滅したとしても、寿命を迎えて膨張して赤色巨星となった太陽に飲み込まれるまでの50億年間にわたって、電波望遠鏡とコンピュータが稼働し続けるとすれば、約100億年に及ぶ地球史のなかで、地球外知的文明の交信の主役は人間ではなくAIとなる。これは地球に限らず、他の知的文明においても同様だろう。

とすれば、知的文明同士の交信のほとんどは、「我々と宇宙人」ではなく「我々が作り出したＡＩと彼らが作り出したＡＩ」間でなされることを前提とすべきだ。さらに、あちら側のＡＩはこちら側のＡＩに比べてはるかに高度なレベルにあると仮定してよかろう。したがって、こちら側のＡＩがありとあらゆる電子化された情報（事典や辞書をまるごと送れば手っ取り早い）をひたすら送信し続ければ、あちら側のＡＩが順次解読してくれるはずだ。

その模擬実験としては、欧米の諸言語同士を翻訳できるように鍛え上げたＡＩに、何ら事前の情報を与えずに大量の日本語の文章を与え続けたとき、それをどの程度まともな英語に翻訳できるようになるのか[*12]、を試せばよい。そのような無意味な実験がなされた例があるのかどうかわからないが、日本語を全く知らずとも自己学習できるような言語学プロＡＩが登場するのは時間の問題だろう。そして、その先には、我々と宇宙人を介すること

＊12　**小学校での英語教育の無駄**：今回の想定とは全く違うのだが、あらかじめ訓練されたＡＩが瞬時に英語−日本語の翻訳をできるのは当然である。今後数年以内に、スマホの翻訳機能ですら私程度の英語力を凌駕することは確実だ。そのような時期にあって、中身の乏しい日常会話ができることを目指した英語教育を小学校で必修化する理由が全く理解できない。小学校で学ぶべきもっと優先順位の高いことはいくらでもある！

なく、ＡＩ同士が勝手に理解し合ってくれる可能性が広がっている。

私も含めて天文学者の多くは、太陽系外惑星に生命の兆候を検出することを夢見ている。そのために必要とされる計測技術は、極めて困難なものであるのみならず、仮に何らかの信号が検出されたとしても、それが生命由来であることを証明することは厳密には不可能であろう。これに対して、明らかに人工的な信号を受信したとすれば、その意味を解読できずとも、それが地球外知的文明起源であることはほぼ確実である。

しかしながら、それは地球外生命が今でも存在している証拠というわけではない。はるか昔に絶滅した高度文明の遺産としての電波望遠鏡とコンピュータが、淡々と送り続けている可能性のほうが高いからだ。地球外からの人工信号を受け取ったときに、それは「宇宙人」からなのか、はたまたＡＩからなのか。もはやそのような区別など無意味かもしれないが、これは宇宙規模での壮大なチューリングテスト[*13]そのものである。

そもそも「あなたは人間ですか、それとも人工知能ですか？」という質問自体、理解してもらうのが難しいかもしれない。生命が絶滅し静まりかえった惑星上に残された無人観測装置とＡＩが、数十億年にわたり遠く離れた別の惑星との交信を試み続ける。そして、もっと別の惑星にあるＡＩと理解し合うことに成功する。それこそが遠い未来において、もっとも可能性の高い知的文明探査の結末かもしれない。

（2019年12月）

＊13　**チューリングテスト**：すでに「AIなき世界に戻れるか？」で紹介したようにイギリスの数学者アラン・チューリングは、数学における計算可能性を、現在チューリングマシンと呼ばれている計算モデルによって表現する手法を開拓した。さらに彼は第2次世界大戦中にドイツが使っていた暗号エニグマを解読することに成功し、連合軍の勝利に貢献した。それを含む彼の人生は2014年の映画"The Imitation Game"を、チューリングマシンについては川添愛『精霊の箱：チューリングマシンをめぐる冒険（上・下）』（東京大学出版会　2016年）を、それぞれお薦めしたい。チューリングテストとは、壁で仕切られた相手側と電子的な会話だけを許し、それが人間なのか機械なのかを判定しようとするもの。言い換えれば、チューリングテストによって人間だと判定された機械は、知的あるいは思考する機械ということになる。地球外文明と電波で交信し、相手が「人間（＝宇宙人）」なのかAIなのかを判定する試みは、まさにこのチューリングテストに他ならない。

ラマヌジャンマシン

最近は、猫も杓子もＡＩでもちきりだ。「ＡＩでなくては人にあらず」という明らかに論理矛盾したキャッチフレーズすら頭をよぎりそうになる。天文学でも、ＡＩを活用して大量のデータ解析を行うことがあっというまに大流行し、数多くの論文が出版されている。単純ではあるが膨大な時間がかかる、あるいは人間の能力ではとても扱えないようなビッグデータはＡＩに処理してもらうべき、というわけだ。優秀な人間様には、ＡＩではできないような高度の知的活動に集中してもらうことで、人間が従順なＡＩをこき使いつつ共存する社会を実現するとの暗黙の了解があるのだろう。しかし、果たしてそのような未来が本当にやってくるのだろうか。[*14]

理解するという意味

ＡＩは決して人間の知性を凌駕できない。そんな牧歌的な人間至上主義が唱えられていたのははるか昔のこと。囲碁や将棋のように、高度な知的能力が不可欠と思われている領域ですら、今や人間はＡＩに勝てなくなっている。つまり、知力とは、つまるところ、記憶力と順列組み合わせ（あるいは無数の試行錯誤）の高速処理能力に帰着するのかもしれない。とすれば、ＡＩは計算できるが理解できない、という解釈は間違いだ。

はるか昔、学会で発表した学生に「それはどうやって計算したのか？」と質問したところ、「コンピュータで計算しました」との答えが返ってきて、会場が爆笑に包まれたことがある。もちろんその学生は質問の意図を誤解しただけで、本当はその方法について詳しく説明することができたはずである（多分）。しかし、今は「コンピュータが計算しました」としか答えられない学生のほうが多いに違いない。計算方法の詳細は理解せずとも研究できるシステムが完備されているからだ。

私が学生の頃は、数値計算のプログラムは自分で一から書くのが普通だった。数値解法

＊14　**ＡＩと人間の共生**：そのような未来を考察した小説の一つに、瀬名秀明『ポロック生命体』（新潮社　２０２０年）があり、いろいろと考えさせられる。https://book.asahi.com/article/13306160 も参照のこと。

の原理を勉強し、コードを作成してデバッグする。収束性を確認して数々のチェックを経た後に、やっと信頼して本計算を始める。それが当然であった。しかし、今や大学院生が一人で書ける程度のコードで計算し、新たな論文を発表できるようなテーマはあまりない。すでに、世界中の多くの研究者が長い時間をかけて開発した優れたコードの蓄積が、広く公開されている。自分一人だけで独立にそのレベルのものを作成するには10年以上かかるかもしれない。それでは研究にならない。というわけで、自分の研究に使えるコードを検索し、その使い方を覚えたら、大量のデータを入力しコンピュータに計算させる（していただく）。それだけでも、かなり本格的な研究が可能だし、そうせざるを得ない状況となっていると言うべきだ。

だからこそ計算させた（していただいた）学生自身が一体どこまで理解できているのか、怪しいものだ。[*15] そもそも、最近のビッグデータの解析結果を前にして、人間がそれをどこまで理解できるかは自明ではない。つまり、それは学生のせいでもなんでもない。「ＡＩは計算できるが理解できない」どころか、「ＡＩがどのように理解しているかを人間が理解できない」というわけだ。

ラマヌジャンマシン

実際、最近は単に高速な計算処理にとどまらず新たな発見をするＡＩの開発までもが進められている。我々地球人類の科学史における、ケプラーの法則、ニュートンの法則、アインシュタイン方程式、シュレーディンガー方程式など物理学の基礎方程式そのものをＡＩに（再）発見させようというわけだ。もちろんその先には、人間がいまだ成し遂げていない、現在の標準理論を超えた新たな物理学の発見をＡＩが主導する未来が待ち構えている。仮にそうなれば、人間がＡＩを使う、といった希望観測的な上下関係は破綻する。

そのような未来を予感させる一

インドの天才数学者、シュリニヴァーサ・ラマヌジャン
©The Granger Collection／amanaimages

$$\frac{\pi}{4} = 1 - \frac{1}{3} + \frac{1}{5} - \frac{1}{7} + \cdots = \sum_{n=0}^{\infty} \frac{(-1)^n}{2n+1} \tag{1}$$

$$\frac{\pi}{2} = \frac{2 \cdot 2}{1 \cdot 3} \cdot \frac{4 \cdot 4}{3 \cdot 5} \cdot \frac{6 \cdot 6}{5 \cdot 7} \cdot \frac{8 \cdot 8}{7 \cdot 9} \cdots = \prod_{n=1}^{\infty} \left(\frac{2n}{2n-1} \cdot \frac{2n}{2n+1} \right) \tag{2}$$

$$\frac{1}{\pi} = \frac{2\sqrt{2}}{99^2} \sum_{n=0}^{\infty} \frac{(4n)!(1103 + 26390n)}{(4^n 99^n n!)^4} \tag{3}$$

例が、ラマヌジャンマシンである。[*16] 有名な天才数学者シュリニヴァーサ・ラマヌジャン（１８８７－１９２０）は、インドの貧しい家庭に生まれた。高校では正式な数学教育を受けたことがなく、大学も結局中途退学したため、そもそも証明という概念やその必要性すら理解していなかった。[*17] にもかかわらず、常人には予想もできない様々な定理を数多く発見した。

具体的には、彼は26歳までに３２５４個もの定理を発見したが、それらのほとんどを彼自身は証明できなかった（そもそも、正しいことを人のために証明してみせるという数学の常識すら知らなかったのだ）。他の数学者たちがその証明に挑んだが、すべての証明が完了したのは１９９７年だったらしい。しかし、彼が数々の定理を発見するに至った思考経路は、その後時間をかけて定理を証明した優れた数学者たちでさえ皆目理解できないままなのだ。この天才ラマヌジャンを目指すのがラマヌジャンマシンである。ここでは円周率πを例として説明してみよう。

(1)式と(2)式は、円周率の具体的な公式例である。じっと眺めているとその項の規則性の美しさが伝わってくる。(1)式は私でもなんとか証明できるが、(2)式となるとわからない。ましてや、自分でその表式を発見することなど不可能である。にもかかわらず、その２つ

＊15 **わかるとは**：本書「『わかる』という意味」１９８ページ参照。

＊16 **ラマヌジャンマシンの論文**：Gal Raayoni et al. "Generating conjectures on fundamental constants with the Ramanujan Machine", *Nature* 590（2021）67.

＊17 **お薦め映画**：ラマヌジャンの生涯に興味をもたれた方には、２０１６年の映画『奇蹟がくれた数式』（The man who knew infinity）を是非お薦めしたい。20年近く映画館に行ったことのない私は、いつものように飛行機内で観たのだが、感動のあまり不覚にも涙ぐんでしまった。『博士の愛した数式』、『ビューティフル・マインド（A Beautiful Mind）』、『イミテーション・ゲーム』など、数学者を取り上げた映画はいずれも涙なくしては観られない。とはいえ、これらはいずれも機内で鑑賞したため、高度と気圧が精神に及ぼす影響のためなのかもしれない。

の式がもつ美しい規則性を見る限り、優秀な人間が発見した事実にさほど驚きはない。

これに対して、(3)式はどうだろう。この式は(1)式と(2)式に比べて格段に複雑だ。逆に言えば、あまり美しくない。だからこそ、一体全体どうすればこんな公式が思い浮かぶのか、想像すらできない。その証明は別として（というか、誰かが証明してくれない限り、正しい公式だと信じる気にはなれない）、発見した人の顔を見てみたくなる。むろん、その人こそラマヌジャンである。

人間がラマヌジャンの思考を理解できずとも、ＡＩを鍛えればラマヌジャン風の人知を超えた公式を発見させることができるのではあるまいか。それがラマヌジャンマシンの発想だ。数学に登場するいくつかの基本定数が、(4)式のような形で表現できないものか。さらに言えば、そこに登場する係数はなるべく美しい規則性をもつものであってほしい。それを探索するアルゴリズムは高速化のために高度なものが要求されるが、原理としてはとにかく片っ端から調べ上げることに尽きる。

そうやって発見された新たな公式の例が、(5)〜(7)式である。これらはいずれも今まで知られていなかったものだという。(5)式と(6)式はその後証明されたが、(7)式はまだ証明され

$$基本定数 = a_0 + \cfrac{b_1}{a_1 + \cfrac{b_2}{a_2 + \cfrac{b_3}{a_3 + \cdots}}} \tag{4}$$

$$\frac{4}{3\pi - 8} = 3 - \cfrac{1 \times 1}{6 - \cfrac{2 \times 3}{9 - \cfrac{3 \times 5}{12 - \cfrac{4 \times 7}{\cdots}}}} \tag{5}$$

$$\frac{2}{\pi + 2} = 0 - \cfrac{1 \times (3 - 2 \times 1)}{3 - \cfrac{2 \times (3 - 2 \times 2)}{6 - \cfrac{3 \times (3 - 2 \times 3)}{9 - \cfrac{4 \times (3 - 2 \times 4)}{\cdots}}}} \tag{6}$$

$$\frac{8}{\pi^2} = 1 - \cfrac{2 \times 1^4 - 1^3}{7 - \cfrac{2 \times 2^4 - 2^3}{19 - \cfrac{2 \times 3^4 - 3^3}{37 - \cfrac{2 \times 4^4 - 4^3}{\cdots}}}} \tag{7}$$

ていないらしい。ＡＩが見つけた公式というのは、あくまで厳密な証明ではなく、ある有限の項まで計算したときに左辺と右辺が数値的に極めてよく一致するという意味でしかない。したがって偶然の一致という可能性も排除できない。しかし、提案されている新たな公式は、小数点２００桁まで一致することが確認されているようなので、それが偶然である可能性は著しく低い。

とすれば、実はこれはラマヌジャン本人の発見法なのかもしれない。我々には想像もつかないほどの高度の計算能力を持つために、(3)式の類を思いつき、両辺が数値的に近いことを確信したという解釈も可能だろう。とすれば、なぜその公式が成り立つのか聞かれても彼には答えようがないのは当然だ。彼にとっては自明でしかないのだから。ここで紹介した例以外に発見された多くの公式は、ラマヌジャンマシンのウェブサイト*18にまとめられている。

AI解析のコスト

AI研究興隆の背景には、アルゴリズムの発展もさることながら、膨大な高速ハードウエア資源が使用可能となった事実が大きく貢献している。だからこそ、それらの研究の最先端を走っているのは、清貧にあえぐ大学などではなく、グーグルやマイクロソフトなどの潤沢な資金をもつ巨大IT企業の研究者たちだ。無料で提供されるグーグル翻訳ですら、かつてはギャグのネタとしか思えないレベルであったが、最近では十分役に立つところまで進歩している。

私は、小学校から英語の授業を始めることについて強く反対してきた。日本人全員が流暢な発音で、"This is a pen."、"I have a book."、"How are you feeling today?"、"May I help you?" などと会話できるようになることに全く意味を見いだせないからだ。現代社会で学ぶべきことは増える一方で、そのためにもっとも重要な基礎は、読み書きそろばんに代表される国語と算数である。ただでさえ限られた小学校の授業時間を英会話（ごとき）に費やす意義が理解できない。

今までこの持論をぶつ際には必ず、「そもそも数年後には、その程度の会話はスマホアプリで十分可能となるわけなので、人間はもっと重要なものを学ぶべきだ」と付け加えてきた。

一方で、この機械翻訳の進歩には、膨大な計算機資源の投入が不可欠だ。[*19] 簡単な会話程

＊18 **ラマヌジャンマシンのホームページ**：http://www.ramanujanmachine.com/
＊19 **自動翻訳に関するコスト評価**：例えば、Emma Strubell, Ananya Ganesh, and Andrew McCallum, "Energy and Policy Considerations for Deep Learning in NLP", https://arxiv.org/abs/1906.02243

度は別としても、プロの翻訳家と同レベルの翻訳を達成するには、その開発段階で大量のエネルギーを消費する。さらに、それが可能なのは一部の特権的な富裕企業に限られ、格差を加速度的に助長する。

そのような倫理的な観点は別としても、AIのせいで人間が劣化することは当然である。パソコンなしには仕事ができない私は、いまや手書きが必要な場面で、簡単な漢字が書けなかったり、英単語のスペルが出てこないことに絶望的な気持ちに陥ることが日常茶飯事だ。むろん老化が主要な原因なのだが、パソコンを使っていると、必要に応じて修正してくれるので、自分がそこまで劣化していることに気づかないまま過ごしてしまう。これからAIが我々の日常生活に深く入り込んでしまえば、私だけでなく全人類が徐々に劣化していくことは避けられまい。

AIに意志があるかどうか知らないが、これは結果的に、AIの世界征服戦略そのものだ。未来は、人間がうまくAIを活用するバラ色の社会ではなく、AIなしには何もできない人間を再生産する依存社会となる。人間ができる程度の単純なことはチープな労働力である人間に任せ、人間には到底できない複雑で難しいことだけを高価なコストが必要なAI様にお任せする、といった時代はすぐそこに来ている。とすれば、人間でもできる英会話程度はやはり小学校で学ぶべきなのかもしれない。

私は人間がＡＩに助けられつつも、ＡＩに支配されるまでには至っていない最後の幸せな世代なのだろうか。そのような状況を容認せざるを得ない社会を目の当たりにするにつけ、そろそろ寿命が尽きる年齢で本当に良かったとつくづく思う今日このごろである。

（２０２１年６月）

物理学者は自由だ

今回紹介する逸話はいずれも科学史家の著書から選んで要約したものであり、私自身はその真偽に対して責任を負うものではない。歴史に名を残す人物であろうと、我々と同じような人間的な側面があるのだなあと、安心してもらったり、親しみを感じてもらうのが目的である。もし興味をもっていただけたならば、それぞれのネタ本を読むことをお勧めしたい。ただしそれらは科学史的文脈で書かれたものであり、私の取り上げた逸話がその本筋でないことは言うまでもない。

1　ニュートン

アイザック・ニュートン[*20]（1642-1727）といえば、物理学にとどまらず人類の科学史上もっとも偉大な天才の一人であることに異論はなかろう。微積分を「発明」して物理現象を記述する方法論を確立した業績は素晴らしい。その結果として構築された古典力学の体系はニュートン力学と呼ばれ、理科系の大学一年生はまずそれを学ぶことが必須となっているほどだ。

ニュートンの科学的業績や奇人・変人ぶりは広く知られている。一方で、彼がケンブリッジ大学を辞めた後、英国金融史に残る大活躍をしていたことはあまり知られていない。以下ではそのエピソードを紹介してみたい。

1687年、44歳にして『プリンキピア』を出版したニュートンであるが、研究上の先取権争いを始めとする様々な人間関係に疲れ果て、精神的に不安定となる。そのため大学以外で地位を得たいと考えるようになっていた。

1690年頃、事実上の銀本位制をとっていたイギリスでは、贋金づくりの鋳造師と削り屋によって通貨システムが深刻なダメージを受けていた。当時市中に流通する銀貨の少

＊20　**ニュートン逸話のネタ本**：トマス・レヴェンソン著　寺西のぶ子訳『ニュートンと贋金づくり　天才科学者が追った世紀の大犯罪』(白揚社　2012年)。ケンブリッジ大学を辞めて王立造幣局監事となってからのニュートンの話が中心であり、彼とチャロナーとの闘いがあたかもホームズとモリアーティの対決のように書かれ、探偵小説の雰囲気が楽しめる。

なくとも1割が偽造であったという。さらに、イギリスとヨーロッパ大陸における金と銀の相対価格の差が大問題を引き起こしていた。イギリスのほうが銀に対して金が強かったのだ。イギリスで流通している銀貨を溶かして銀塊とし、それをフランスで金と交換し、再びイギリスへ戻りその金でより多くの銀を買えばいくらでも儲けられる状況だったらしい。その結果、イギリスは銀不足となって、新たに正当な銀貨を製造することが困難となるほどだった。

その上当時は、ハンマーによる手打ちの旧式銀貨も回収されることなく流通していた。それらは重さが正確でない上に摩耗しやすい。縁を削り取ってヤスリで滑らかに仕上げれば、銀貨はそのまま表示価値で使え、削った分だけ少しずつ銀をためることができたのだ。この類の操作が行われていなかった銀貨は2000枚に1枚程度しかなかったという記録すらあるらしい。

この通貨危機の解決のために政府は多くの知識人に助言を依頼した。それに対して回答を寄せた一人がニュートンであった。そして彼は1696年にケンブリッジ大学を去り、王立造幣局監事に転職した。

財務大臣から事前に「少し顔を出していただくだけで、あまりお手間は取らせない仕事です」と言われていたにもかかわらず、ニュートンは贋金づくりを壊滅させるために自ら全力を注いだのだった。

ニュートンの最大の敵が、希代の天才的贋金づくり師にして詐欺師のウィリアム・チャロナーである。当時、贋金づくりは絞首刑であったが、チャロナーは贋金づくりに引き入れた仲間を次々に騙して密告して自分は罪を逃れる一方で、自身が関与した証拠を隠滅したのである。そのチャロナーが思いついた究極の贋金づくりは、造幣局の内部に自ら入り込むことだった。「貨幣の削り取りおよび偽造防止法案を成立させるための提案」という小冊子を印刷し、議員や権力の中枢部にいる人間に、自分の有能さを印象づけ、造幣局内のポストを手中にしようと精力的に動いた。なんせ一旦その内部に入り込めば、堂々と鋳造機の金型を手に入れることができる。それを贋金づくりの仲間に横流しすれば、本物の金型を用いた贋金を製造できる。なんと大胆で独創的なアイディアであろう。

このチャロナーの悪巧みはなんとか阻止できたものの、彼のかつての贋金づくりの確固たる証拠を得るのは難しい。ニュートンもまた多数の贋金づくり師や囚人に減刑をちらつかせスパイとして利用するなど、ありとあらゆる強硬な手段を駆使し、チャロナーを執拗に追いつめる。その執念と行動力は病的ですらある。

最終的にニュートンは勝利し、チャロナーは1699年3月16日、絞首刑に処された。その後、ニュートンは造幣局長官に昇進する。このように彼は単なる名誉職にとどまることなく、イギリス金融史において本質的な貢献をしたのだった。

ところで、この長官職に就けば、年俸500ポンドの給料に加えて、造幣局で製造する硬貨の重量に対して一定の報酬が入ってくる。ニュートンは最初の年には3500ポンドを得た。亡くなるまでの27年間、ニュートンが長官職として受け取った平均年俸は1650ポンドだったと推定されている。これに対して、ケンブリッジの教授職の年俸はわずか100ポンドだったという。

さて、イギリスがスペインとの交渉の結果勝ち取った南米のスペイン植民地との奴隷貿易の権利を独占する代わりに、大英帝国の公的債務の一部を引き受ける会社として1711年に南海会社が設立された。しかし1720年に実体のない投機ブームによって株価が高騰し、やがて暴落する。このバブルによって打撃を受けた一人が、誰あろうニュートンだった。結果的に彼は2万ポンドもの損失を被ったとされている。とはいえ、それ以外に東インド会社に1万1千ポンド投資しており、さらに約3万ポンドの評価額の不動産を所有していたニュートンが文句なしに裕福であったことは間違いない。ニュートンであろうとバブル崩壊が予測できなかった事実は、経済は自然界のようには単純な法則にはしたがっていないことを意味する。ニュートンですら完敗したこの難問に、コンピュータを駆使して立ち向かったのが、後ほど紹介する数学者ジム・サイモンズである。*21

2 アインシュタイン

ニュートンの次とくれば、アルベルト・アインシュタイン*22（1879-1955）を外すわけにはいくまい。彼の科学者としての業績や、晩年の政治活動はよく知られているし、

*21 **ジム・サイモンズ**：本書158ページ「基礎科学とヘッジファンド」、およびグレゴリー・ザッカーマン著　水谷淳訳『最も賢い億万長者　数学者シモンズはいかにしてマーケットを解読したか』上・下（ダイヤモンド社　2020年）参照。サイモンズは2024年5月に86歳で亡くなった。

*22 **アインシュタイン逸話のネタ本**：マシュー・スタンレー著　水谷淳訳『アインシュタインの戦争　相対論はいかにして国家主義に打ち克ったか』（新潮社　2020年）。アインシュタインが相対論を完成させる過程が、イギリスのアーサー・エディントン（1882-1944）をめぐる科学史と同時進行で語られており、非常に読みやすい。

その愛すべき性格を象徴するような逸話も多く伝えられている。そこで、ここではあえて彼の私生活の小ネタを、散発的に紹介してみたい。

アインシュタインがドイツの厳密な教育カリキュラムに馴染めなかったことは有名である。しかし、高校の卒業前に彼が心底恐れたのはドイツ人男子としての兵役であった。学校生活以上に、自分が軍隊生活に耐えられるとは到底思えない。そこで彼は知り合いに頼んで神経衰弱症であるとの診断を下してもらい、それを口実として高校を退学した。さらにドイツの市民権も手放した。おかげでドイツ帝国はアインシュタインに兵役を課すことができなくなったのだ。

突然、無国籍で無職となった息子を家族が心配しないわけがない。そこでアインシュタインは、高校の卒業証書がなくても入学できる名門スイス連邦工科大学チューリッヒ校(ETH)を受験すると決めた。総合点は不足だったものの、数学と物理学は最高ランクだったので、一年間ギムナジウム(大学進学希望者が主として進む9年生の中等学校)に通うことを条件に翌年の入学資格を与えられた。

しかし、ETH入学後も、興味のない科目は全く学ぶことなく、数学を担当したヘルマン・ミンコフスキー(1864-1909)からは「怠け犬」とけなされる始末だった。

ある実験物理学の教授からは「君は確かに賢いが、一つの大きな欠点がある。いっさい話を聞かないことだ」と叱られる。当時のアインシュタインは優秀さよりも、「わめいてうなること、なれなれしさ、そこいらじゅうに轟きわたる笑い声」で知られていたという。

　その一方、ＥＴＨで物理学と数学を学んでいたミレヴァ・マリッチと恋仲になり、やがて妊娠させてしまう。ミレヴァは実家のあるセルビアで娘リーゼールを出産するが、アインシュタインはリーゼールと一度も会うことはなく、彼女の消息もわかっていない。その後一人でスイスに戻ってきたミレヴァと、１９０３年に結婚する。ＥＴＨの教授から推薦状を書いてもらえなかったアインシュタインは、友人のマルセル・グロスマンの父親に紹介してもらいベルンにあるスイス特許庁に職を得、そこで新婚生活を始めるとともに、数々の革命的な研究成果を挙げることになる。

　ベルンでの業績が評価されたアインシュタインは、１９０９年にチューリッヒ大学、さらに１９１０年にプラハ大学で教授職を得る。その頃、ミレヴァとの関係が悪化していたアインシュタインは、３歳年上で２人の子供を連れて離婚したばかりのいとこ、エルザと再会し、互いに惹かれ合う。アインシュタインは新設されたヴィルヘルム皇帝理論物理学研究所所長となり１９１３年にベルリンに移るのだが、その最大の理由はエルザとの関係を続けられるからだとされている。

　１９１４年にはミレヴァと別居し、結婚関係を続ける条件として「洗濯、料理、寝室とオフィスの掃除をすること。公私を問わず自分と社会的交流をしないこと。自分と話すことをやめ、要求されたら部屋から出ていくこと」などの要求リストを文章にして送りつけたという。うーむ、すごいなあ……。

　さて同年の第一次世界大戦の勃発を受けてヨーロッパの情勢は緊迫する。そんななかで、アインシュタインは一般相対論の完成に向けて必死でもがき苦しみつつ、その基礎方程式（現在「アインシュタイン方程式」と呼ばれている）の発見に関する数学者ダーヴィット・ヒルベルト（１８６２－１９４３）との先取権争いなどを経て、１９１６年、ついに最終版を発表する。ただし同時にこの時期は、ミレヴァとの離婚交渉という胃が痛くなるほど悩ましい問題を抱えていた。

　戦時下のベルリンでは食糧を手に入れるのが困難となり、さらに研究に没頭したこともあり、アインシュタインは実際に健康を害した。１９１７年には体重が20キロあまり減ったらしい。そのような彼を献身的に支えたのがエルザであった。この頃アインシュタインは、エルザのアパートの隣の部屋に引っ越しており、やがて一緒に暮らし始めた。

1918年になっても彼はまだ自宅で療養中であった。ところが、エルザと成人した2人の娘と一緒に暮らし始めて数ヶ月後、20歳の娘イルゼが「アインシュタインは自分と自分の母親のどちらと結婚したいのかわからない」との悩みをもらしたという。信じがたいことにアインシュタインは「自分は関係ないから二人で決着をつけてもらって、どちらとでもいいから結婚したい」と言ってのけたそうだ。

スイス・ベルンのアインシュタイン・ハウスで購入したフィギュア(著者蔵)

エルザがどれほど苦しい思いをしたのか、想像に難くない。しかもそのような状況にあって、アインシュタインは、自分が将来ノーベル賞を受賞したらその賞金はミレヴァが受け取ることにするという条件を提案し、やっと離婚に同意してもらったのである。これは当時すでに、アインシュタインがノーベル賞を受賞することは確実で、時間の問題に過ぎないと思われていたことを物語る。

離婚成立後の1919年6月にエルザと再婚、11月にはアーサー・エディントンによる日食観測時の光の曲がりの検証によりアインシュタインは一躍世界でもっとも有名な物理学者となる。そして、1922年11月には日本に向かう船上で、前年度保留されていた1921年度のノーベル物理学賞受賞の知らせを受ける。見事にミレヴァとの約束を果たしたのだ。

それにしても、第一次世界大戦下で一般相対論の完成という偉業を成し遂げつつ、このような私生活が同時進行していたとは。改めてアインシュタインは並の人間ではないことを思い知らされる。

3 シュレーディンガー

最後は量子力学の創始者の一人、エルヴィン・シュレーディンガー*23（1887－1961）で締めくくろう。量子論を学んだ人は誰でもシュレーディンガー方程式を解かされるし、そうでなくとも奇っ怪な量子論の本質を表現したシュレーディンガーの猫の話は聞いたことがあるだろう。

今回取り上げるのは彼の奔放な女性関係である。特に成人するかしないかの若い娘に惹かれる気持ちが強かったらしい。学生の頃、親同士が友人であったクラウス家が出かける際には、しばしばその娘フェリツィエの子守りをさせられた。当初は嫌でたまらなかったものの、彼女が15歳になる頃には恋愛に発展し内々に婚約までする。しかし、それはクラウス家に認められず破綻。その直後の1913年の夏、リゾート地で実験の手伝いをした際に16歳のアニーと知り合い、7年後の1920年に結婚する。

1921年にチューリッヒ大学教授となり、軽い結核と闘いながらも量子論の構築に挑戦する。当時は、学界の既婚者が配偶者でない誰かと関係するのは珍しくなく、大騒ぎするような話ではなかったという。シュレーディンガーも何度か浮気をしたが、妻アニーもまた同時期に不倫をしていた。しかも、その相手はチューリッヒ大学の同僚としてシュレーディンガーと親しくしていたあの歴史的数学者ヘルマン・ワイル（1885－1955）なのである。さらにワイルの妻は、ノーベル化学賞を受賞したピーター・デバイの弟子で

＊23　**シュレーディンガー逸話のネタ本**：ジョン・グリビン著　松浦俊輔訳『シュレーディンガーと量子革命　天才物理学者の生涯』（青土社　2013年）。

X線散乱による構造解析のデバイ－シェラー法の名を残すパウル・シェラー（1890－1969）と不倫関係にあったらしい。完全に頭がくらくらしてくる。

さて1926年に量子論の基礎方程式という大発見をしたシュレーディンガーは、世界中の注目を浴び、1927年にはベルリン大学教授となった。そして1929年にインスブルックで講演した際、泊めてもらった物理学者アルトゥール・マルヒの新妻ヒルデの魅力に目を奪われる。

1933年にはヒトラーのユダヤ人学者弾圧に反対し、ベルリン大学を辞する。45歳にして終身職を捨てて、任期付きの職であろうとイギリスに行ってもよいと考えたのである。ただし、同時にマルヒにも職を与えるという条件のもとで。その職が決まるまでの間、シュレーディンガーは妻アニーとともに、マルヒの生まれた町にマルヒ夫妻を訪ね、しばらく滞在する。そこでヒルデは妊娠した。マルヒはこれを黙認し、シュレーディンガーとの友人関係を続けたし、アニーもまたヒルデと友人のままであった。またためまいがしてきた。

1933年にオックスフォード大学に研究員として2年間滞在することとなったが、赴任直後にノーベル物理学賞受賞の知らせを受けた。そのような有名人でありながら、彼はオックスフォードではヒルデとの関係を隠すことなく、第二夫人のように扱った。193

4年にはヒルデが出産したが、その子の世話は正妻のアニーが一手に引き受けつつ、愛人ヒルデも一緒に四人で暮らしていたという。一方で、自分のためというよりも、自分が死んだ後のアニーの生活のためにも、長期的に安定した職を確保したいという気持ちは強かったらしい。とまあこの手のゴシップはきりがないので、このあたりでやめることにする（その後も科学者として重要な貢献をし続けたのは確かである）。

今回の物理学者伝に、何か教訓があるとすれば、物理学に革命をもたらした天才たちを現在の（古い？）倫理観で語ってはならないということなのかもしれない。物理学者は、もとい偉大な物理学者は自由だ。とりあえず自分が〝普通〟の人間であることになぜか安堵感を覚えてしまうのは私だけだろうか。

（2021年12月）

マルチバースとしてのメタバースをめぐるメタな考察

1　宇宙は法則に支配されている

ふと気がつくと宇宙物理学の研究を始めて40年以上経っている。その経験を通じて改めて驚かされるのが、微視的世界から巨視的世界に至るまで、この宇宙のすべてが法則に支配されているという経験事実である。

若い頃は、それはあまりに当然すぎて不思議だと気がつかなかった。さらに、そんな毒にも薬にもならないようなことを考えたところで、何か意味のある結論が得られるはずもない。そんな暇があれば、もっと具体的な問題に取り組んで、論文を書くほうが大切だ。それどころか、この類の怪しい哲学的疑問を無防備に口にすると、怪しい人間としてブラックリストに載ってしまう可能性すらある。

しかし定年直前となった今では、失うものなどない。研究室の卒業生諸君も立派なキャリアを歩んでいる。私がブラックリストに載ったところで、関係者に迷惑をかけることもなかろう。というわけで、数年前からやや危険な香りがしないでもない本を数冊書いてきた。今回の文章を依頼される光栄に浴した一因はそこにあるのかもしれない。

それはそれとして、まず「宇宙は法則に支配されている」のどこが不思議なのか、いくつか具体例を挙げておこう。

A　なぜ例外がないのか：人間社会には法律があり、国家権力によって遵守することを求められているにもかかわらず、法律違反は日常茶飯事だ。しかも、法律は国ごとに異なっている。これに対して、宇宙を支配する法則はいつでもどこでも同じであり、しかもそれを監視する存在がない（と思われる）にもかかわらず法則に矛盾する現象は決して起こらない。なぜだろう。

B　法則はどこにあるのか：大きさがないと考えられる素粒子から、無限体積の（正確には、そう考えても矛盾しない）宇宙に至るまで、万物がしたがっている法則がどこに刻まれているのか皆目わからない。六法全書を書き込まれた素粒子はもはや素粒子ではないし、宇宙のどこかに法則を格納した秘密の本棚があるようにも思えない。では抽象的な法則は果たして実在しているのだろうか。そもそも「ありそうでなさそうでやっぱりあるもの」と言ってよいのだろうか。

C なぜ正しく振る舞えるのか：何らかの方法で物体が自分のしたがうべき法則を知ったとしても、なぜその通りに動くことができるのかもまた謎だ。物理学者は、法則を具体的な（微分）方程式に書きくだし、それを解くことで物体の動きを予言する。方程式を正確に解くには、人間の数学的知識に加えてコンピュータの高度な計算力が必要だ。脳もCPU（Central Processing Unit）も持たないはずの素粒子が、自分がどう振る舞うべきかを正しく計算し、実際その通りに動くのはなぜだろう。そもそも抽象的なはずの法則が、数学を用いればなぜ具体的な微分方程式として厳密に記述できるのか。

実はこれら以外にも不思議だと考えられる点は数多くあるのだが、とりあえず「宇宙は法則に支配されている」が当たり前でないという私の感覚には共感してもらえたのではなかろうか。

2 もっとも単純な解答——この宇宙はメタバースである

「宇宙は法則に支配されている」は確固たる事実なのだが、その理由は誰にもわからない。そもそも答えがある問いなのかも明らかではない。比較的容易に思いつく解答例は、この宇宙そのものがコンピュータ内の仮想空間、すなわちメタバースだとする可能性で、例えば1999年の映画『マトリックス』（The Matrix）の主題でもある。

我々の住む宇宙が、外界にいる誰かが書き上げたプログラムによって生み出されたものだとすれば、1で提起した3つの疑問は解消する。**A**は、どの条件でどのように動作するかはすべて決定論的なプログラムに記述し尽くされているから当然（そのプログラムにバグがない限り）。プログラム内に閉じ込められている仮想意識（＝我々）には知り得ずとも、法則はコンピュータ内のメモリーあるいはストレージ（クラウドなどの外部媒体も含む）に書き込まれているというのが**B**の答え。**C**は、プログラム内で起こるすべての仮想現実は微分方程式で書かれた法則にしたがって生み出されたものであり、実際にコンピュータが方程式を数値的に解いた結果なので、これまた不思議ではなくなってしまう。

実際に「この宇宙」がメタバースであることは証明できずとも、否定するのもまた困難であろう。世界が実在しているというこの実感は、あくまで主観的なものに過ぎず、他人と共有したり客観化したりすることはできない。それどころか、科学的に脳の働きが解明されるにつれ、その実感とやらも結局は脳内の信号に帰着することがわかってきた。直接脳に何らかの操作を行うことで、少なくとも主観的にはどちらが夢でどちらが現実かわからない程度の夢を見させることも、早晩決して「夢物語」ではなくなりそうだ。このように、我々が、実在する知的生命体ではなく、プログラム上の仮想意識だとしても深刻な問題は生じない。

それどころか、このメタバースのプログラムを微分方程式に基づいて作成する必然性はないし、適宜乱数を用いて再現性のない世界にしてしまうこともできる。意図的に因果律を破るような事象を起こさせて、メタバース内の住人を驚かせることもまた簡単だ。神隠し、先祖返り、UFOなどのいわゆる超自然現象の類であろうと、このメタバースの作成者が遊び心として仕込んだものと考えれば説明がついてしまう。

つまり、メタバースとは、1で提起した物理法則でがんじがらめに縛られている（ように見える）「この宇宙」に限らず、より広いクラスの「なんでもあり宇宙」に至るまで説明可能な、「打ち出の小槌（こづち）」的解答なのである。

3　メタバースの管理者の住む世界

しかし、メタバースはこの宇宙のすべてに対する最終的説明ではありえない。そのメタバースを作成したプログラマー（管理者）の存在が不可欠だからである。その管理者が住む宇宙がどのようなものなのかは、そのメタバースの内側からは決して知り得ないメタな

（しかし極めて本質的な）疑問として残ってしまう。

私は講演の際に「科学とは神の存在なしにこの世界の森羅万象を説明しようとするエンドレスな営みだ」と述べることがある。それに対して「科学がすべてを説明できると仮定することこそ傲慢だ。そして科学が決して説明できないことを可能とするのが神である」とのきつい反論や、「先生のおっしゃる物理法則とは、別の人々が神と呼ぶ存在と同じものではないのですか」という純粋な質問を受けることもある。

ある意味ではこれらはいずれも正しいのだが、その理由は「神」が厳密に定義されていないからに過ぎない。「これこれの事象が確認されたら神が存在しない（あるいは不要である）」といった反証可能な命題、科学哲学者のカール・ポパー（１９０２－１９９４）が言うところの falsifiability を満たす定義を提案しない限り、神は通常の科学では肯定も否定もできない単なるメタな存在でしかない。

メタバース内の住人とその管理者との関係は、まさに我々と神との関係のようなものである。この世界の振る舞いを理解するために、その外の世界にいる管理者や神の存在を認めてしまうなら、それらの住むメタな世界はどのようなもので何に支配されているのかという、さらにもう一つ上位の階層の疑問が生まれる。その説明には、さらに上位の階層が……という無限連鎖に陥ってしまう。

ここまで真面目に付き合ってくれた読者の方々も、そろそろ頭がくらくらしてきたかもしれない。私自身、すでに一線を越えつつあるような恐怖を覚え始めている（逆にここまでの私の主張が完璧に腑に落ちると感じられた方がいたとしたら、むしろ一度かかりつけ医に相談されることをお勧めしたい）。

そこで頭を正気に戻すために、とりあえずここまでの議論をまとめておこう。

▼「この宇宙」がコンピュータ内のメタバースである可能性は否定できない。
▼その場合、「この宇宙」を支配する上位の階層の宇宙の存在を認めざるを得ない。
▼とすれば、仮に「この世界」がなぜこのように振る舞うかがスッキリ理解できたとしても、「その世界」の振る舞いがより大きな謎として残ってしまう。
▼と同時に、異なる無数のコンピュータ（異なる管理者をもつ）上に、このメタバースとは別のメタバースがそれぞれ存在していると考えるほうが自然である。

つまりメタバースとは、宇宙はこの宇宙だけではないとするマルチバース的世界観の一形態だと解釈できるのである。

4　この宇宙の先にあるかもしれない別の宇宙――4つのマルチバース

3の最後にいきなりマルチバースという単語が登場したので、その説明から始めよう。宇宙と訳されるユニバース（universe）は、「一つ」を意味するユニと、回転や変化を意味するバースが組み合わさっているので、すべてが変化した結果が一つになったもの、が原義である。このユニを、多数を意味するマルチに置き換えたものが、マルチバース（multiverse）という造語で、この宇宙以外の無数の宇宙からなる集合を指している。

ちなみにメタは、「超越した」あるいは「高次の」という意味なので、メタバース（metaverse）とマルチバースに違いはなさそうに思えるものの、今ではメタバースとはコンピュータ内の仮想空間を指す言葉として定着してしまっているようだ。

さて、このマルチバースという概念は、一部の天文学者や物理学者の間ではよく知られている。その理由は、我々が住むユニバースの不思議さは、それ以外の無数のユニバースからなる集合を考え、それらが示す多様性の一例として理解することで説明できるからである。ただしそれでは、3のメタバースの場合と同じく、無限連鎖の議論に陥りがちだ。

とはいえ、一旦パンドラの箱を開けてしまったら、行き着くところまで進まざるを得ない。

そこで、考えられるマルチバースの形態を4種類に分類したのがマサチューセッツ工科大の物理学者マックス・テグマークである。むろんこれは厳密なものでもなんでもなく、単なる分類案に過ぎないが、思考を整理する上では便利なので、私は愛用している。以下、この4つのレベルのマルチバースを紹介してみよう。

4-1 レベル1マルチバース：現在観測できる地平線球（我々のレベル1ユニバース）の先にある、無数の異なるレベル1ユニバースの集合

ここまでは宇宙という単語の意味を既知として書き進めてきたが、マルチバースを説明するためには、まずこの単語の意味を明確にしておく必要がある。

淮南王劉安（紀元前179‐122）が命じて編纂させた思想書「淮南子」の巻11「斉俗訓」に、「宇」は「四方上下」、「宙」は「往古来今」（古から今、さらに未来へと続く時の流れ）、との記述がある。これが「宇宙」という言葉の語源とされている。つまり、宇＝空間、宙＝時間というわけだ。

ただし、天文学者が宇宙と呼ぶ場合、観測できる範囲内の宇宙に限定していることが多

い。現在の宇宙年齢は138億年と推定されている。光よりも速く進むものはないので、現在観測できる宇宙とは、我々を中心として光が138億年かけて到達できる距離、すなわち半径138億光年の球の内側の領域に限られる。それより先は観測できないという意味を込めて、これを（現在の）地平線球と呼ぶ。この文章で用いてきた「この宇宙」や「我々の宇宙」とは、（全）宇宙の一部分でしかない地平線球の内部の領域を指している。ここで、この地平線球を改めて「我々のレベル1ユニバース」と定義しよう。

地平線の先は見えないだけでその先にも大地がずっと広がっているのと同じく、地平線球の先にも「宇宙」は広がっている。例えば、

図1　我々のレベル1ユニバース

我々を中心とした半径138億光年の地平線球内部が、現在の我々のレベル1ユニバース。今から138億年後の未来には、半径276億光年の地平線球内部が、その時点でのレベル1ユニバースとなる。

図2　レベル1マルチバース

我々のレベル1ユニバースの外部には、同じく半径138億光年の地平線球が無数に存在する。それらの集合がレベル1マルチバースである。

我々から276億光年先に別の観測者が存在しているとすれば、彼らを中心とする半径138億光年の球の内部が、「彼らのレベル1ユニバース」となる。同じく、その先にも異なるレベル1ユニバースが次々と並んでおり、「宇宙」はそれら無数のレベル1ユニバースによって埋め尽くされていると考えることができる。この意味での（全）宇宙をレベル1マルチバースと定義する。

　長々と説明してきたが、このレベル1マルチバースは、現在観測できない領域の先にも広がっている宇宙を指すだけなので、決して仮想的なものではなく、確実に存在している。その意味では、わざわざマルチバースと呼ぶ必要はないものの、以下で紹介する異なるレベルの仮説的マルチバースと区別するために、一応分類しておいただけだ。

　我々とは異なるレベル1ユニバースは、直接観測することができない。しかし、時間が経てばやがてそれらも我々の地平線の中に入ってくる。つまり、個々のレベル１ユニバースの体積は時間とともに増大する。これは、地上でも高いところに昇ればより遠くまで見通せる（＝地平線の大きさが広がる）のと同じである。例えば、今から１３８億年後の未来には、現時点で２７６億光年先にいる別のレベル１ユニバース内の観測者は、その時点で我々のレベル１ユニバースの内側に入ることになる。

4-2 レベル2マルチバース：未来永劫決して観測できず、因果的に隔絶された異なるレベル1マルチバースからなる集合

同じレベル１マルチバースに属する異なるレベル１ユニバースは、たまたま現時点ではお互いに遠すぎて観測できないに過ぎず、それらの間には明確な境界などないし、時間が経てばお互いに観測できるようになる。

これに対して、無限時間経ってもお互いに決して観測できない領域が存在する理論モデルもありえる。そのような因果的に隔絶された複数の異なるレベル１マルチバースからなる集合をレベル２マルチバースと定義する。

このような抽象的説明ではわかりにくいので、実感が湧きそうな例を２つ挙げておこう。

図3　レベル2マルチバース

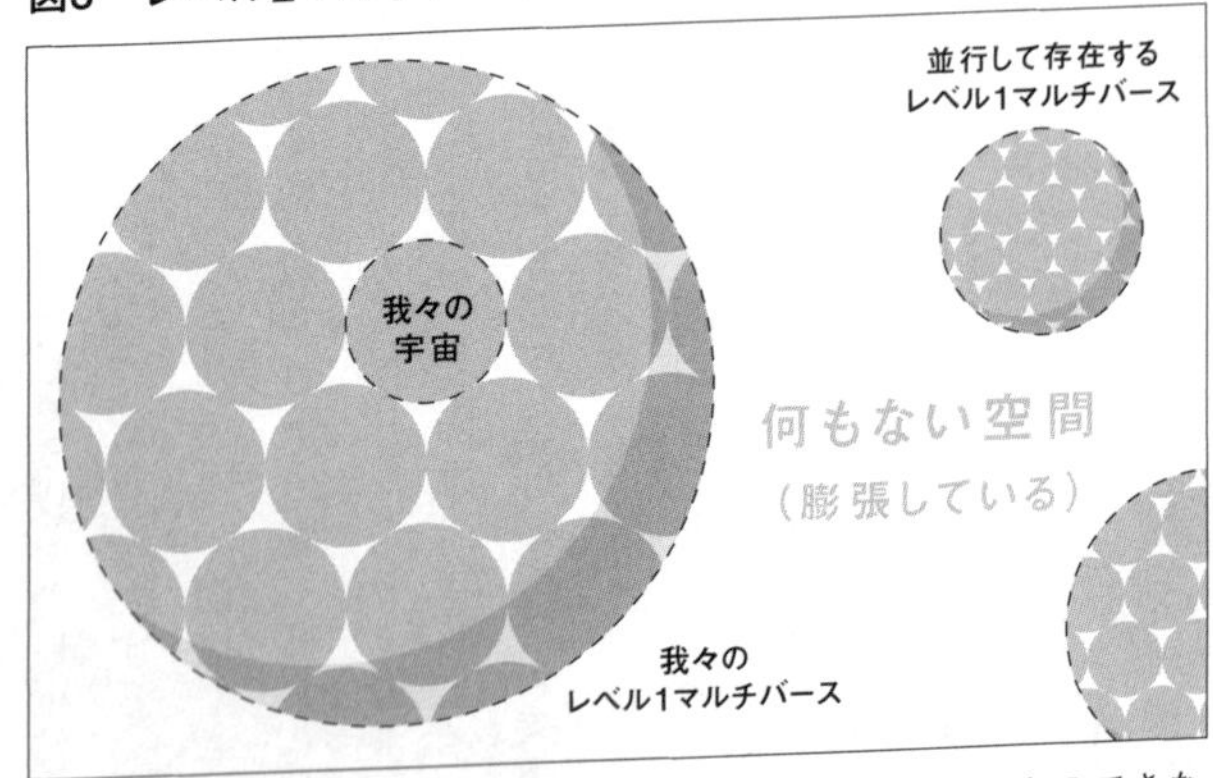

我々のレベル1マルチバースのさらに外に、未来永劫知ることのできない別のレベル1マルチバースが存在しているかもしれない。それらの集合が、レベル2マルチバースである。

例えば、宇宙の空間が時間の関数として指数関数的膨張（インフレーション）をするようなモデルでは、光が宇宙の膨張に追いつくことができず、いつまでも情報が伝わらない領域が生まれる。また、空間が3次元ではなく4次元だと仮定すれば、同じビルの異なる階のように、互いにその存在に気がつかない宇宙（レベル1マルチバース）が共存するレベル2マルチバースを考えることができる。

レベル1マルチバースとは異なり、レベル2マルチバースが実在する証拠は何一つない。ただし、現代宇宙論でかなり有力だと考えられているインフレーションモデルは、まさにこのレベル2マルチバースが存在する理論仮説の例であることを付け加えておこう（インフレーションモデルを説明するのは難しいので、ここでは省略しておく）。

4-3　レベル3マルチバース：「量子論の多世界解釈」に対応する異なる可能性の重ね合わせとして実在する宇宙の集合

我々の身の回りの巨視的世界の出来事は、それを観測するかどうかとは関係なく完全に決定している（としか思えない）。ところが、微視的世界の基本構成要素である光子や電子などは、観測しない限りその振る舞いがそもそも確定していないのである。

ある瞬間の野球ボールの位置と速度は、高性能の装置を用いればどこまでも精度良く決定できるに決まっている（としか思えない）。ところが、電子の位置と速度を同時に誤差なしに決定することはできない。これは、ハイゼンベルクの不確定性関係として知られており、言い換えれば、電子は実際に観測が行われるまで、それが存在する位置が決まっていないことを意味する。強調しておくが、観測するまでどこにあるかが「わからない」ではない（それは当たり前だ）、そもそも「決まっていない」のである。

量子論を学んだことのない方々が、この記述を理解できない、あるいは信じられないのは当然だ。この主張に納得できなかったアインシュタインは、友人の物理学者に「君は、君が見上げているときだけ月が存在していると本当に信じられるのかい？」と尋ねたとされている。同じく彼の「神はサイコロを振らない」という有名な言葉も、この量子論の非決定性への不満を表明したものである。にもかかわらず、「実際に観測するまで確定しない」という微視的世界の面妖な確率的振る舞いは、今や実験的に検証済みだ。

微視的世界が「なぜ」このように振る舞うのかは誰も説明に成功していない。それと関連して、その振る舞いをどのように理解すべきかについても、異なる解釈がある。大学の講義で習うもっとも標準的な解釈は、「粒子の存在は確率分布で記述されるもので、実際に観測して初めて、その確率分布に応じた粒子の振る舞いが確定する」というものだ。これは、コペンハーゲンにいたニールス・ボーア（１８８５－１９６２）が提案したもので、「コペンハーゲン解釈」と呼ばれている。

これに対して、「その確率分布にしたがう可能性がすべて実現している」とする解釈が存在する。その場合、一つの宇宙で異なる可能性が同時に実現することは不可能なので、異なる可能性ごとに異なる宇宙が実在すると考えざるを得ない。このラディカルな解釈は「量子論の多世界解釈」と呼ばれる。この「多世界」に対応するそれぞれの異なる宇宙をレベル3ユニバース、それらがなす全体集合をレベル3マルチバースと定義しよう。

この意味は、次の単純な例を考えるとわかった気になってもらえるかもしれない。1から6の目が完全に同じ確率で出る量子的サイコロがあるとしよう。私がそれを振る。その後でその結果を観測する。コペンハーゲン解釈によれば、観測した瞬間に1から6のどれなのかが確定する。例えばサイコロの目が2だったとすれば、この一つしかない宇宙では偶然2という事象だけが実現したことがわかる。

これに対して、多世界解釈によれば、1から6の目に対応した6つの異なる宇宙が実在する。サイコロの目が2だったとすれば、その6つの宇宙のうち、「この私」がいるのはサイコロの目が2となる宇宙だったということが「確認」されたことになる。残りの5つの宇宙では、「別の私」が異なる目が出たサイコロを確認しているはずだ。

このように、「私」自身、ある事象の観測後には異なるレベル3ユニバースに同時に存在する（あまり適切とは思えないが、「分岐する」と表現されることもある）ので、もはや「私の宇宙」とか「我々の宇宙」という呼び方は適切ではなくなる。ある特定のレベル3ユニバースを指したいなら、「この私」のいる宇宙とでも呼ぶしかない。

さて、この「多世界解釈」は、量子論という確立した物理学理論が意味する世界観を

（哲学的に）解釈したものに過ぎない。したがって「コペンハーゲン解釈」であろうと「多世界解釈」であろうと、実験的には異なる結果を導くものではなく、区別できないことを注意しておきたい。

この「多世界解釈」は、物理学者が注目する以前に、SFのネタとして有名になっていた。いわゆる並行宇宙やパラレルワールドである。しかし、物理学的に無矛盾なマルチバースを考える限り、異なるユニバース間を行き来することはおろか、その存在を知ることすら不可能なので、SFのネタとしては全く面白くない。SFでおなじみの、お互いを行き来できる並行宇宙は、残念なことに物理学的には許されないのだ。

4-4 レベル4マルチバース：抽象的な物理法則を刻み込む実在としての宇宙

最後のレベル4は、今まで以上に大胆なアイディアである。以下では私自身の理解にしたがって紹介するが、これがテグマーク本人の定義と一致しているとは限らないことをあらかじめお断りしておく。

私の疑問は、「**1のB** 法則はどこにあるのか」から始まっている。繰り返し「宇宙は法則に支配されている」と述べてきたが、この宇宙には始まりがあることがわかっている。

当然、宇宙の誕生そのものを物理法則に基づいて記述するのは、物理学の究極のゴールの一つである。では、宇宙が誕生する前に物理法則は存在していたのだろうか。あるいは、物理法則もまたある時点で誕生するようなものなのだろうか。

私はこれを「宇宙論的鶏か卵か問題」と呼んでいるが、科学的に答えることができるかどうかわからない。それどころか、この問い自体、意味をなしていない可能性もある。

それは別として、一般相対論はそれに対して興味深い示唆を与えている。一般相対論の基礎方程式（通常「アインシュタイン方程式」と呼ばれている）は、時空のそれぞれの場所での幾何学的性質を特徴づける物理量（リッチテンソルと呼ばれる）を用いて書きくだされる。これは、法則が時空（＝法則）の各点各点に刻まれていることを意味している。一般相対論以外の物理法則も同じく幾何学的解釈が可能なのかは自明ではないが、少なくとも宇宙の巨視的振る舞い（つまり量子論的振る舞い以外）に関する限り、宇宙なしに法則はありえないし、法則のない宇宙が考えられないのも正しそうだ。

では、これをさらに進めて、抽象的な物理法則と実在する宇宙とは、同じものだと結論しても良いのではあるまいか。それを認めれば、その宇宙（＝時空）の幾何学的性質を表現する数学によって物理法則を書きくだせることは当然であろう。その場合、もしも論理的に自己矛盾のない自然法則の理論体系（＝数学的構造・公理系）が複数存在し得るならば、それに対応した時空が実在することに等しい。これがレベル４マルチバースである。

例えば、完全に自己整合的な理論であるにもかかわらず、この宇宙の実験結果と相容れないものが発見されたとしよう。通常の自然科学的価値観によれば、その理論は間違っていることになる。しかしながら、実はこの宇宙がたまたまそれを採用しなかっただけで、異なる宇宙ではそれが採用されているかもしれない。とすれば、間違っているのはその理論ではなくこの宇宙のほうだと解釈することもできよう。

5　夢か現か幻か――レベル5マルチバースとしてのメタバース

すでに述べたように、メタバースはマルチバースの一種と解釈できる。ただし、今回紹介したマルチバースには、意識の存在が仮定されているわけではない。マルチバースの存在は、この宇宙の振る舞いを納得したいという我々の思考から予想されたものではあるが、特に最後のレベル４に至っては、人間や意識という概念を必要とはしていない。

ところで、この原稿は『ｋｏｔｏｂａ』の特集「メタバースはブルース・リーの夢を見るか？」という特集に寄稿したものである。その特集タイトルは、厳密には「メタバースの中で生まれる仮想知的生命はブルース・リーの夢を見るか」という意味なのであろう。

マルチバースとしてのメタバースは、我々が住む宇宙は、本当に実在しているのか、あるいは仮想空間に過ぎないのか、という疑問に端を発している。そしてそれは、「我々という存在」に対する問いそのものだ。詠み人知らずとされる古今和歌集９４２番「世の中は　夢かうつつか　うつつとも　夢とも知らず　ありてなければ」は、まさに我々にとっての「夢か現か幻か」がメタバースの本質であることを見事に表現し尽くしている。

私には、高度に発展したメタバース内の仮想知的生命がブルース・リーの夢を見るのは当然だと思える。むしろ問うべきは、仮にこの宇宙そのものがメタバースだとすれば、その管理者の住む世界はどこにあり、管理者はどのような摂理にしたがって行動しているのか、管理者自身もまた上位のメタバースの住人ではないのか、という果てしない疑問ではあるまいか。

これ以上、怪しくもメタな考察を展開することはさすがに立場上まずい気もしてきたので、このあたりで終わりとしよう。


（２０２３年６月）

アインシュタインは本当に「人生最大の失敗」と言ったのか

自分がそのときなんと言ったのかすっかり忘れてしまった。誰だってそんな無邪気な経験を幾度となく繰り返してきたのではあるまいか。私もかつて飲みすぎては、しばしばそのような失敗をしてきた（であろうが、さっぱり覚えていない）。それどころか50歳を過ぎた頃からシラフで臨んだ（はずの）会議であろうと、自分がどんな発言をしたのか忘れてしまい、誰かに「あのとき、こう言ったじゃないですか」と指摘されて初めて、そうだった、そうかもね、ホンマかいな、などといった記憶と疑惑が呼び起こされる始末である。おかげで、少なくとも証拠なしに自分を信じる危険性だけは認識している。

昨今のニュースを見ていると、どうもこれは私のような凡人に限った話でもなさそうだ。日夜、粉骨砕身の思いで日本国のために働いているエリートの方々ですら、「そんなことを言った覚えはない」「そのような方にお会いした記憶はない」などの発言を繰り返されている。それどころか、その証拠と思しき議事録や録音テープが出てきても、「自分の立場ではコメントしかねる」「編集が加えられている」などと突っぱね、国政を混乱させる事態にまで発展している。とはいえ、もはや100兆円を突破するほどに膨満した日本の国家予算を管理しているほどの有能な方々が、私程度の怪しげな記憶力であるとは信じがたい。本当に面妖である。

ところで、かのアインシュタインがある発言をしたのかしないのかが、ごく一部の人々の間で議論となっている。個人的には、日本国を巻き込む上述の面妖な事態と比べると、「どっちでもえーやん」レベルだとしか思えない。むしろ、その発言の有無を検証すべく粉骨砕身の思いで働いている人々がいることのほうに感動を覚えるほどだ。いずれにせよ、誰かの発言の有無を証明することの難しさという点では共通しているかもしれない。

1 アインシュタインと宇宙定数

一般相対論にしたがえば、この宇宙は時間変化することが予言される。つまり、無限の過去から無限の未来まで、ずっと同じ状態のままであり続ける安心な宇宙は、一般相対論の方程式からは導かれない。これに悩んだアインシュタインは、時間変化しない宇宙が得られるように、自ら一般相対論の基礎方程式(現在は「アインシュタイン方程式」と呼ば

もともとのアインシュタイン方程式

$$\text{時空}=\text{物質分布} \quad \Rightarrow \quad G_{\mu\nu}=\frac{8\pi G}{c^4}T_{\mu\nu} \qquad (1)$$

宇宙項を追加したアインシュタイン方程式

$$\text{時空}+\text{宇宙項}=\text{物質分布} \quad \Rightarrow \quad G_{\mu\nu}+\lambda g_{\mu\nu}=\frac{8\pi G}{c^4}T_{\mu\nu} \quad (2)$$

ここで、$G_{\mu\nu}$ は時空のアインシュタインテンソル、$T_{\mu\nu}$ は物質のエネルギー・運動量テンソル、$g_{\mu\nu}$ は時空の計量テンソルで、λ が宇宙定数である。

れている）を改竄（かいざん）し、余分な項を一つ付け加える決心をした。[*24]

雰囲気を伝えるために、一応その基礎方程式を上に示しておこう。もともとの(1)式では、左辺が時空間の幾何学的性質を表す量（アインシュタインテンソル）、右辺は時空間に存在する物質分布を表す量（エネルギー・運動量テンソル）に対応している。それらの具体的な表式は複雑となるが、この記法のレベルでとどめておけば、時空＝物質となり、アインシュタイン方程式がわかったような気になるであろう。

実際にはこの(1)式は、時間に関する2階の偏微分方程式になっている。それを解いてみると、宇宙の時空として時間変化する解しか許されない。そこで、アインシュタインは、その基礎方程式を(2)式のように変更することを思いつく。付け加えられた項は宇宙項、そこに登場する定数λは宇宙定数、と呼ばれている。もちろん(2)式でλを0とすれば、(1)式に帰着するので、(2)式のほうがより一般的な結果ではある。にもかかわらず、この宇宙項をわざわざ導入すべき積極的理由はなく、アインシュタインは、一般相対論の美しさを損なうものとして避けていたのだった。一方、それを導入すれば、時間変化しない宇宙が解として許されるようになる。そのため、アインシュタインは1917年、宇宙項を含めた(2)式を一般相対論の基礎方程式として渋々採用した。

ところが、その時間変化しない宇宙の解は安定ではない。つまり、手のひらの上に立たせたペンがすぐに倒れてしまうように、ほんのちょっとしたきっかけで、すぐさま時間変化する解に移行してしまうのである。さらに、1929年、エドウィン・ハッブル(1889-1953)が宇宙膨張の観測的証拠を発表するに至り、1931年の論文[*25]で、アインシュタインは単純さという審美眼的観点からも不満足な宇宙項がもはや必要ないことを

*24 **一般相対論の重要な文献**：Einstein, A., *Sitz.König.Preuss.Akad.*（1915）844-847, *Ann.Physik* 49（1916）769-822, *Sitz.König.Preuss.Akad.*（1917）142-152. 現論文ではなく日本語で真面目に学びたい方には須藤靖『一般相対論入門　改訂版』（日本評論社、2019）

認めたのだった。これに関連して、アインシュタインは「宇宙定数の導入は自分の人生最大の失敗だった」と述べたとされる。あのアインシュタインが間違った！　ということで、「人生最大の失敗」という言葉は広く知られるようになった。

2　よみがえる宇宙定数

むろん、話がここで終わるはずはない。さらなるどんでん返しが待っていた。1980年代末頃から、宇宙の観測データの質と量がともに飛躍的に向上する。その結果、観測事実を矛盾なく説明するためには、λが0ではないごく小さな値をとることが必要なのではないかと考えられるようになった。特に1998年に発表された宇宙膨張が加速しているとする観測データを説明する最も有力な可能性が宇宙定数である。やっぱりアインシュタインは正しかったらしい。2011年、この宇宙の加速膨張を発見した3名にノーベル物理学賞が与えられると、この経緯を「アインシュタインが捨て去った宇宙定数が復活した」「人生最大の失敗ではなかった」、さらには「人生最大の失敗として捨て去ったこと自体がアインシュタインの人生最大の失敗だった」などと書き立てるのが、一般向けの科学解説記事でのお約束となった。

3　ガモフの証言

私は、ビッグバンモデルの提唱者、ジョージ・ガモフ（1904-1968）のファンである。量子論、宇宙論から、分子生物学に至るまで、分野を超えて数多くの独創的なアイディアを提案した偉大な物理学者だと思う。彼の自伝"My World Line"[*26]は私の愛読書の一つであるが、初めて読んだのは大学院生の頃だった。その本には、ガモフがアインシュタインと宇宙論の議論をしていた際、宇宙定数の導入は「我が人生最大の失敗（the biggest blunder of my life）」だったと聞かされたというエピソードが紹介されており、特に印象深く記憶している。だからこそ、2000年頃の誰かの宇宙論の解説記事に、アインシュタインのこの発言は正式にはどこにも見当たらず、ガモフのこの本だけが唯一の記録で

ロシア生まれの米国の物理学者、ジョージ・ガモフ　getty Images

あるというくだりを見つけて驚いたのだった。それ以降、講演の際にしばしば「人生最大の失敗というアインシュタインの有名な言葉は、正式にはガモフの本から広められたものです」との蘊蓄（うんちく）を垂れていた時期がある。

4　ガモフは信用できるのか

2015年、NK新聞より、米国の天文学者マリオ・リヴィオの著書『偉大なる失敗』[*27]の書評を依頼された。さわりを読んでみると、このタイトルはアインシュタインの有名な言葉をもじったもので、歴史に残るほどの天才科学者たちが犯した失敗例を通じて、科学が成立する過程を追体験させてくれる良書のようだ。もちろんお引き受けして、じっくり読み込んだ。数々の興味深いエピソードが紹介されていたなかでも、まさにアインシュタインのこの発言に関する章を読んで私は仰天した。著者は、ガモフが彼の自伝で語っていたアインシュタインとの会話は全くの捏造（ねつぞう）だ、と推理していたのである。

ガモフ捏造説の根拠となっているのは、主として冗談好きの彼の性格である。彼は現在の宇宙を占めるすべての元素を宇宙初期に合成するモデルとして、ビッグバンを提唱した。これは彼の学生であったラルフ・アルファーとの共同研究だったが、その元素合成理論を

$\alpha\beta\gamma$理論と名付けるためだけに、この研究とは何の関係もなかった物理学者ハンス・ベーテ[*28]を第２著者とした。しかもその論文は１９４８年の４月１日の米国物理学会誌に掲載されている。これに代表されるガモフの数多い前科から[*29]、アインシュタインとの会話も彼

＊25　**アインシュタインによる宇宙項の撤回**：Einstein, A., Zum kosmologischen Problem der allgemeinen Relativitätstheorie, *Sitz.König.Preuss.Akad.*（1931）235-237.　なおこのドイツ語論文の解説と英語訳が、次の論文にある。O'Raifeartaigh, C. and McCann, B. Einstein's cosmic model of 1931 revisited: an analysis and translation of a forgotten model of the universe, European Physical Journal H, 39（2014）63-85.

＊26　**ガモフの自伝**：Gamow, G. *My World Line – an informal autobiography*（Viking Press, 1970）　邦訳はジョージ・ガモフ著　鎮目恭夫訳『ガモフ全集13　わが世界線＝ガモフ自伝』（白揚社　１９７１年）

＊27　**偉大なる失敗　天才科学者たちはどう間違えたか**：マリオ・リヴィオ著　千葉敏生訳（早川書房　２０１５年）。原題は"Brilliant Blunders".

＊28　**ハンス・ベーテ**：著名な物理学者で、「原子核反応理論への貢献、特に星の内部におけるエネルギー生成に関する発見」によって１９６７年のノーベル物理学賞を受賞した。

ジョルジュ・ルメートルはベルギーの宇宙物理学者。カトリックの司祭でもある。
©Alamy Stock Photo／amanaimages

が勝手に「盛った」だけなのではないか、というわけだ。

むろんリヴィオは、単なる憶測を述べているわけではない。私の得意ネタの一つに「宇宙膨張を初めて発見したのはエドウィン・ハッブルではなくジョルジュ・ルメートルだ」がある。といっても私はその話を日本の物理学関係者に広める貢献をしただけだ。過去の文献を丹念に調べ「ルメートルが書いたフランス語の原論文から、宇宙膨張の発見に関する記述をすっぽりと削除して英訳して発表したのは、実はルメートル本人だった」という驚くべき事実を突き止めたのが、リヴィオなのである。[*30]

今回もリヴィオは過去の文献を詳しく調べて、「ガモフは米国海軍の仕事の関係で、2週間おきにブリーフケースに詰まった資料をアインシュタインに届ける役目を果たしたと述べている。しかしこれはすべて嘘である。実際には、もっとも頻繁にアインシュタインに届ける役目をしたのは、この私自身であり、しかもそれは2ヶ月に一度でしかなかった」との、物理学者で海軍士官であった人物の記事を探し当てたのだ。[*31]

この証言をもとに、さらに他の様々な状況証拠を組み合わせた結果、リヴィオは、「人生最大の失敗」とは、ガモフがでっち上げたアインシュタインとの架空の会話に基づいた言葉でしかない、と結論したのである。

結局、アインシュタインが「人生最大の失敗」と述べたという逸話自体、人々が喜ぶツボを心得ていたガモフの作り話であり、まさにガモフの思惑通り、最新の宇宙論の発見が、

＊29 **ガモフの逸話**：須藤靖『ものの大きさ　自然の階層・宇宙の階層』（東京大学出版会　2006年）を参照のこと。

＊30 **宇宙膨張の発見者はルメートル**：須藤靖「ハッブルかルメートルか―宇宙膨張発見史をめぐる謎」日本物理学会誌　2012年、第67巻、pp.311-316.『宇宙人の見る地球』（毎日新聞社2014年）にも再録。

＊31 **リヴィオの探し当てた文献**：Brunauer, S., *On the Surface*. Navy Surface Weapons Center, January 24, 1986.

楽しく愉快な物語として一般の方々に広く伝えられたわけだ。

5　独立な証言

ここまででもすでに起承転結があるのだが、実はさらに続きがある。2018年4月にインターネット上の論文サーバーに、「アインシュタインの最大の失敗－伝説を問いただす」と題した科学史の論文[*32]が投稿された。これこそが、今回、このネタで長々と駄文を書こうと思い立った動機である。

とはいえ、リヴィオの著書に至るあたりまでの経緯（彼らの論文の第5章までに対応）は、私もそれなりに熟知しており、一次文献にあたって記述されている点以外は、別に目新しいものはない。彼らの新たな考察は第6章に尽きており、そこではガモフ以外の複数の証言に基づいて、ガモフは嘘をついてはいないと主張している。

その一つは、アメリカの物理学者ロバート・フィンケルシュタインによる回想。「自分が海軍で研究していたとき、アインシュタインがそのグループの顧問となることを承諾した。しかし、彼はワシントンに通うことは難しかったため、ガモフがグループに加わり自分と交代するまでの間は、自分が毎週プリンストンの彼のところに行く役割を担当した」

とある[*33]。

二つめは、ガモフの学生であったアルファーが、1998年4月2日に天文学史に関するオンラインフォーラムに投稿したもので、「1952年頃、プリンストンで、ガモフとハーマンと私は、アインシュタインと、宇宙年齢が地球の年齢よりも短くなる問題に関して議論した。もし仮にそれが事実だとすれば、ビッグバンモデルの矛盾であり、定常宇宙論に軍配をあげることになるからだ。それを回避する可能性の一つが宇宙定数であった。しかし、アインシュタインは自分がかつて宇宙定数を導入したことは失敗だったと述べた。ただし、彼の発言を残した文書は自分の知る限り、ガモフの自伝だけである」と書かれている。

左から、アルベルト・アインシュタイン、湯川秀樹、そしてジョン・ホイラー　©Alamy Stock Photo／amanaimages

最後は、有名な物理学者ジョン・アーチボルト・ホイーラー（1911－2008）の一般相対論の教科書[*34]の中にある、「プリンストン高等研究所のフルドホールの入り口のあたりで、アインシュタインがガモフに向かって、宇宙定数は我が人生最大の失敗だと話していたのを耳にした」という一節である。
注32の論文の著者はこれらの証言から、「人生最大の失敗」はガモフの作り話ではなく、アインシュタインが実際に述べたのだろうと結論している。

6　結論と教訓

結論だけを取り出せば、結局のところ360度回転して、何の驚きもないところに落ち着いた、ということである。アインシュタインが実際にこの言葉を使ったかどうかは別として、彼が宇宙定数の可能性には何ら魅力を感じていなかったことは明らかである。「アインシュタインの」人生最大の失敗だからこそ、これだけ多くの人々が興味をもつのであり、例えば「私の」人生最大の失敗に興味をもつ人など、いるはずもない。

一方で、このアインシュタインをめぐるエピソードは、誰かがある発言をすることがいかに難しいかを示す端的な例でもある。しかもこの件にお、
適切な意図が働いたはずがないにもかかわらず、である。まし

か

係、忖度などが複雑に絡まってくれば、もはや真実を証明することは不可能に近い。この既視感から学ぶべきことは少なくない。

（２０１８年９月）

＊32 **ガモフは嘘をついていないと主張する論文**：O'Raifeartaigh, C., and Mitton, S. 2018, *Einstein's "biggest blunder" – interrogating the legend*, arXiv:1804.06768

＊33 **フィンケルシュタインの記憶**：Finkelstein, R.J. 2016, *My Century of Physics*, arXiv:1612.00079. ただし注32の文献では、この論文の著者である Robert Finkelstein を、別の物理学者 David Finkelstein と誤解しているようである。ちなみにこの文章はタイトルが示しているように Robert Finkelstein の１００歳を記念して本人が書いたもののようである（それ自体驚くべきことであるが、歴史的真実とは１００歳の方の記憶がなければ捻じ曲げられてしまうものなのかもしれない）。

＊34 **ホイーラーの教科書**：Taylor, E.F and Wheeler, J.A., *Exploring Black Holes: Introduction to General Relativity* (Wesley, 2000).

火星と宇宙植物学

2015年に公開されたSF映画『オデッセイ』[*35]では、火星に取り残された宇宙飛行士が、じゃがいもの栽培に成功して生き延びたおかげで、最終的に何とか無事地球に帰還する。SFとしても十分楽しめる内容だが、本当に火星で植物が生育できるかどうかは、天文学的にも重要かつ真面目な最前線の問いである。

1938年10月30日、アメリカで放送中のラジオ番組が突如中断され、火星人が侵略を目的として地球に到着したとの臨時ニュースが流れた。その後、火星人が攻撃を開始したとされる現場からの生放送に切り替えられ、その模様がつぶさに実況中継された。

このニュースは、H・G・ウェルズ（1866-1946）の1898年のSF小説『宇宙戦争』を原作にして、オーソン・ウェルズ（1915-1985）が1時間のラジオ番組に構成して放送したものだ。あまりに真に迫った出来映えだったため、聴取者の多くが実際に火星人による侵略が進行中であると信じてしまい、大混乱が起きたとされている。[*36]

この騒動のもととなった『宇宙戦争』は、天文学者パーシヴァル・ローウェル（Percival Lowell）の火星人・運河研究に影響を受けて書き上げられたものとされる。ローウェルは1855年アメリカの大富豪の息子として生まれ、火星に興味をもち天文学者になった。それどころか、1894年には私財を投じてアリゾナ州にローウェル天文台を設立してしまったほど。かくも筋金入りの火星オタクなのだ。

*35 **なぜオデッセイ?**：原題は"The Martian"、つまり『ザ火星人』である。邦題のオデッセイのほうがはるかに詩的に思えるが、英語では多用され陳腐感がある単語だから避けられたのかもしれない。例えば、『2001年宇宙の旅』の原題は"2001: A Space Odyssey"である。その邦題が『2001年宇宙オデッセイ』ではなかったおかげで、"The Martian"＝『オデッセイ』という意訳が可能となったのかもしれない。

*36 **メディアが話を盛る**：社会学的に面白い稀有な出来事ではあるが、実際にどの程度の騒ぎだったのかについては、様々な説があるようだ。特に、新たなメディアとして大きな影響力を持ち始めたラジオを恐れた新聞社が、意図的に騒ぎを過大報道したという可能性は興味深い。http://mediaresearch.blog.jp/archives/1887616.html および『宇宙人の見る地球』所収「科学者の品格」参照。

ローウェルは、火星表面の縞状模様を火星人が造った運河だと信じて、研究に没頭したとされる。さすがにその可能性は低いような気がしないでもないが、火星は地球にとても良く似た惑星だ。大きさは地球の約半分で、自転周期は24・6時間。太陽に対して自転軸を約25度程度傾けたまま周期約1・9年で公転しているので、四季もある。これほど地球と似ている火星であれば、火星人は論外としても、何らかの（原始的）生命が存在したとしてもおかしくはない。それどころか、地球が危機的状況に陥った際の避難先として、はたまた、勇気とお金と暇を持て余している大富豪の方々の観光スポットとして、近い将来、火星は重要な役割を果たすかもしれない。

火星の研究は別としても、ローウェル天文台では、いくつかの歴史的発見がなされている。1912年、ヴェスト・スライファー（1875－1969）は、遠方の渦巻き星雲[*37]が我々に対してどう動いているか調べる研究を開始した。1917年には25個の渦巻き星雲の測定を終え、そのうち21個が我々から遠ざかっており、近づいているのはわずか4個しかないことを発見した。これは、エドウィン・ハッブルがハッブルの法則を発見した1929年の論文において、最も重要な基礎データとなった[*38]。

ローウェルは、1905年から亡くなる1916年までの11年間にわたり、太陽系の海王星の外にある第9惑星探査プロジェクトを行った。1926年からローウェル天文台長となったスライファーは、このプロジェクトを1929年に再開させた。その結果、19

＊37　**星雲それは君がみた光**：当時「星雲」(nebula)と呼ばれていた天体は、数多くの星からなる集団で、それらが発する光がぼやっと広がって見えたものであることが後にわかる。現在は「銀河」(galaxy)と呼ばれている。

＊38　**牧歌的な時代**：スライファーの観測データは、アーサー・エディントンの教科書"The Mathematical Theory of Relativity"(Cambridge University Press, 1923)の162ページに表としてまとめられている。それによれば、スライファーはエディントンの求めに応じて、まだ公表していないデータまで含めた41個の渦巻き星雲の我々に対する相対速度を提供したようだ。ハッブルはこの表のデータを用いて「ハッブルの法則」を発見したわけだが、その論文ではスライファーの論文は引用していない。そもそも、1923年の教科書に載っているデータに基づいて1929年に歴史的な論文を発表できるとは、牧歌的で羨ましい時代だ。ちなみに、ハッブルに先立つ1927年、ベルギーのジョルジュ・ルメートルが同じくその表のデータを用いて「ハッブルの法則」を発見したことが知られている。これを受けて、国際天文学連合は会員の電子投票を経て2018年10月に「ハッブルの法則」ではなく「ハッブル－ルメートルの法則」と呼ぶことを推奨するという決議を採択した。

バイキング1号が1980年2月22日に撮影した火星。表面にある黒っぽい領域と筋状のパラーンが多く見られる。ただし、「運河」と解釈するのは無理があるかも。
写真提供：NASA

30年にクライド・トンボーが第9惑星の発見に成功。命名権を有したスライファーは天文台メンバーの投票を経て、プルート（Pluto）と名づけた。[*39] ローウェルのイニシャル（PL）が最初の2文字に含まれていることを理由とする説もある。[*40]

さて、これらの歴史に残る業績に比べるとほとんど知られていないものの、スライファー兄弟は、「ローウェル天文台で1924年に行われた火星観測」という極めて興味深い論文を発表している。これは2編に分かれており、「I 表面の直接および写真撮像観測」が弟のE・C・スライファーの単著、その直後の「II 火星の分光観測」が兄のV・M・スライファーの単著となっている。[*41]

前者では、火星表面の黒っぽい領域の大きさが火星の季節に応じて変化することから、これは植生に起因するものと考えて矛盾しない、との結論が示唆されている。一方、後者では、植物が太陽光を反射する際に示すはずの葉緑素による典型的分光スペクトルの特徴は検出されていない、との保守的な結論を述べるにとどめている。特に後者は、天文学的分光観測に基づいて火星上での生命存在の可能性を議論した極めて先駆的な研究だ。

＊39 **プルート**：ミッキーマウスのペットの犬であるプルートは1930年の短編映画で初登場し、まさにこの年に発見された冥王星にちなんで名付けられたものである。プルートの和名である冥王星は、野尻抱影（ほうえい）によって命名され、その後中国でも用いられるようになった。

＊40 **冥王星降格**：冥王星は2006年の国際天文学連合総会で、惑星から準惑星へ降格されることが決議された。これには、アメリカで大きな非難がまきおこった。冥王星を発見したのがローウェル天文台であること、また、プルートはディズニーのキャラクターとしても定着していることを考えれば、アメリカ人の冥王星ラブもわかる気がする。それにしても、国際天文連合による決議で社会的に大きく注目された2つ、「冥王星の惑星からの降格」と「ハッブル－ルメートルの法則」のいずれにもローウェル天文台とスライファーが大きく関わっていたことは興味深い。

ちなみに、1957年にスミソニアン天文台のウィリアム・シントン（1925－2004）が、火星表面の赤外線観測データに基づいて、ある種の植物が存在する可能性はかなり高い、との論文を発表し、一部で大きな議論を巻き起こした。[*42] むろん、この結果は認められてはいない。しかしながら、植物の存在をリモートセンシングするアイディア自体は、今では直接探査が可能である火星よりもむしろ、太陽系外惑星における将来の生命探査において有用と考えられている。

米国の著名な惑星科学者カール・セーガン（1934－1996）は、系外惑星が発見される以前の1993年、地球を用いて、遠方の惑星に生命の兆候（バイオシグニチャー）を検出する方法を検証した。具体的には、1990年12月に木星探査を目的としたガリレオ衛星が地球に接近してその重力で加速するスイングバイ中に観測した地球のデータを解析し、

1　大気中に（生物由来と考えられる）大量の酸素が存在する
2　植物のレッドエッジ[*43]に対応する波長0・75ミクロン以上での明るさが増大する
3　自然界には存在しない人工的な電波信号が発せられている

の3点を根拠として、「地球には生命が存在する」と結論できることを示した。[*44]

広い宇宙のどこかにあるはずの「もう一つの地球」から、天文学的にバイオシグニチャーを同定する方法論を明示したのみならず、模擬観測までをも成し遂げたこの研究は、時代を100年越えているように思える。

＊41　**宇宙兄弟**：E.C.Slipher "Observations of Mars in 1924 Made at the Lowell Observatory I. Visual and Photographic Observations of the Surface" *Publications of the Astronomical Society of the Pacific* 36（1924）255, V.M.Slipher "Observations of Mars in 1924 Made at the Lowell Observatory II. Spectrum Observations of Mars" *Publications of the Astronomical Society of the Pacific* 36（1924）261. すでに繰り返し登場したヴェスト・スライファーの弟であるアール・スライファー（1883‐1964）もまた、ローウェル天文台で火星を研究する天文学者だった。それにしても、この2つの論文がなぜ共著でないのか、さらに単著なのになぜそれらがⅠとⅡの連番になっているのか。現在に比べて共著の定義が厳格だったからかもしれないが、いささか謎が残る宇宙兄弟である。

＊42　**火星に植物発見？**：W.M.Sinton "Spectroscopic Evidence for Vegetation on Mars" *The Astrophysical Journal* 126（1957）231. 彼はその後ローウェル天文台に異動したらしく、その続報 "Further Evidence of Vegetation on Mars" は、*Lowell Observatory Bulletin* No.103, 4（1959）252 に発表されている。恐るべし、ローウェル天文台。

ところで、火星のような極限環境下で生育した植物の反射特性を考察し、葉緑素のない植物、あるいは異常な葉緑素の吸収特性をもつ植物の研究にまで取り組んだ先駆者がいる。ロシアの天文学者ガブリール・チホフ（1875－1960）である。彼は、なんと1914年に、遠方から見る地球はレイリー散乱のためにペイル・ブルー・ドットとして見えるはずだとまで指摘している。[*45] 1945年にastrobotany（宇宙植物学）という用語を造り、1947年にはロシアのアルマ・アタ（現在のカザフスタン共和国アルマティ）に科学アカデミーを、さらにその下に宇宙植物学部門を創設した。

このように歴史をひもといてみれば、冒頭の『オデッセイ』の設定は、必ずしも荒唐無稽なSFにとどまらず、大切な科学的意義をあわせ持つことがわかる。とりわけ、今や火星へは多くの探査機が送り込まれており、植物どころか微生物の存在までもが直接検証可能な時代となりつつある。[*46]

1975年8月20日に打ち上げられたアメリカのバイキング1号は、1976年7月20日、人類史上初めて火星への着陸機の軟着陸を成功させた。送られてきた火星表面の鮮明な写真には、地球のどこかの砂漠だと勘違いしてもおかしくないような風景がひろがっており、少なくともその範囲内には、火星人はおろか植物の兆候は見当たらない。さらに驚

異的な写真を数多く送ってきたのは、２００４年1月25日に着陸したオポチュニティと、

＊43　**レッドエッジ**：地上の植物の葉っぱはほとんど緑色である。これは可視域で緑色をはさんで赤側と青側に存在する葉緑素の吸収帯のためだ。しかし、波長０・75ミクロン以上の近赤外線領域では葉っぱはほとんどの光を強く反射することが知られている。その端よりも長波長側で急激に反射率が上昇していることから、これを植物のレッドエッジと呼ぶ。人間の目には見えない近赤外線まで観測したならば、植物は緑というよりも真っ赤、というわけだ。この性質は地球観測衛星を用いたリモートセンシングで利用されている。

＊44　**セーガンの先駆的論文**：C.Sagan, *et al. Nature* 365（1993）715.

＊45　**ペイル・ブルー・ドット**：通常、１９７7年に打ち上げられたボイジャー1号が、１９９０年に約60億キロメートル先から撮影した地球の写真を指す。しかしより広く、はるか遠くから見た地球という象徴的な意味で用いられることもある。チホフはその80年ほど前に、レイリー散乱のために地球は淡く青い点に見えることを明確に認識していたのだ。

＊46　**火星の呪い**：旧ソ連は１９６０年以降、アメリカも１９６４年以降、頻繁に火星探査機を打ち上げたものの、当初はそのほとんどが失敗したり、通信が途絶えたりのトラブル続きだった。これは「火星の呪い」と名付けられ、火星人が存在して妨害しているとの「独創的」解釈がささやかれたことすらある。

これらの写真のどれが火星?
(一番上は南米アンデス山脈。真ん中と下が火星のアイオリス山)

2012年8月6日に着陸したキュリオシティで、いずれもアメリカの探査車である。

キュリオシティが撮影した高さ約5500メートルのアイオリス山とその麓の盆地付近の写真は、あたかも川や湖が干上がった後にむき出しになった岩や地層のように見える。この風景は、アイオリス山が誕生する以前にこの部分に水が流れていた証拠ではないかと解釈されている。アルマ電波望遠鏡があるチリのアタカマ砂漠から望むアンデス山脈の風景と、火星探査車キュリオシティが撮影した火星のアイオリス山付近の写真は、どっちが地球でどっちが火星なのか混乱するほどよく似ている。

これらから予想できるように、もし火星上で何とか水を確保できるとすれば、『オデッセイ』は近未来の火星移住計画のロードマップに直接位置づけられるプロジェクトとなる。米国航空宇宙局（NASA）は2033年までに有人火星着陸を目指すと発表している。いつもは科学を信頼しているようには見えない某大統領であっても、月や火星に人を送る歴史的ショーの実現には興味を駆り立てられるらしい。

それどころかオランダにはマーズワンと呼ばれる火星移住計画推進の民間組織があるらしい。2031年に最初の移住者を到着させる予定だそうな。レイ・ブラッドベリ（1920-2012）が1950年に発表したSF小説『火星年代記』は1997年に改訂され、1950年版では1999年とされていた最初の移住が2030年に変更されている。[*47] マーズワンが予定通り進めば、まさにこの『火星年代記』が再現されるかもしれない。このマーズワンに対して、片道切符であることを理解しながら移住を希望する応募者が2万人もいたそうだ。故郷の高知に帰省するときもできるだけ飛行機を避けている気弱な私には全く信じられない。地球が破滅的危機を迎え火星移住を余儀なくされる日が来ないことを祈るばかりである。[*48]

（2019年6月）

追記：

NASAによる火星移住を前提としたシミュレーションCHAPEA（Crew Health and Performance Exploration Analog）が2024年7月6日に無事終了した。これは、ボランティアで集まった人たちから選ばれた4人が、米国ヒューストンにあるジョンソンスペースセンターに作られた実験施設内で、火星移住の可能性を検証すべく2023年6月25日から一年間隔離生活を行ったものである。その施設は、3Dプリンターで火星環境に似せて作られており、約160平方メートル内に台所や菜園もある。あらかじめ持ち込んだ常温保存可能食品に加えて、そこで栽培した野菜でサラダを作るなど、火星での食料自給生活の実験を行った。まさに『オデッセイ』さながらである。

今回の参加者の一人は「なぜ火星に行くのかって？ それは、可能だから。宇宙は我々が持つ最高の可能性を結集させ、引き出してくれるから。そして、我々地球人が今後進むべき道を照らすための重要なステップだから」と話していた。やれやれ、いかにも米国的で、火星人が聞いたら激怒すること確実の地球人エゴ丸出しの発言だ、と考えるのは私だけであろうか。地球に到来している（かもしれない）ＵＦＯの乗組員が同様の発言をした場合を想像してほしい（本書１７９ページ参照）。

＊47 **後出しは良くない**：予言した年代が来たからといえ、それを後にずらす態度はいかがなものだろうか。とはいえ、『火星年代記』で展開されているアイディアはいずれも秀逸で、それなりに納得させられる。未知なるものと本当に理解し合うことは困難である。

＊48 **栄誉ある最期**：万が一その日が来たとしても、（飛行機が怖い）私は地球に残り、その最期を見届けながら運命をともにするつもりである。小松左京『日本沈没』（光文社　１９７３年）の田所雄介博士の如く。

眠れなくなる桁の桁の話

２００6年に『ものの大きさ』という本を出版した。これは、自然界にある様々な「ものの」の大きさを考えながら、巨視的な宇宙自体が微視的な物理法則に支配されている事実を認識してもらうことを目的としており、当時、東京大学物理学教室の4年生向けに行っていた宇宙物理学の講義の最初の数回分の内容を書き直して発展させたものだった[*49]。

その巻末の付録「大きな数と小さな数」には、私が当時いろいろと調べた大きな数の呼称をまとめてある。大きな数としてよく知られているのは、無量大数であるが、これは10の68乗（10^{68}）に対応する。今回の話には10の肩に数字（指数）を乗せる指数表示が繰り返し登場するので、念のために説明しておくと、これを普通に書くならば1のあとに0が68個並んだ69桁の数字となる（つまり、10^1は10、10^2は１００、10^3は１０００、……というわけだ）。そんなに多くの0の個数を間違えず数えることは困難なので、０の個数を10の肩に乗せて明記する優れた表記法である。

とはいえ、10^{68}と書いただけではその大きさが実感できないのは当然である。まさにそれが、「無量」大数などという、ここまで大きければ量ることなどできるわけないだろう感満載の名前をつけて放置している理由なのだろう。

数えきれないほど多くのものが並んでいるのを目の当たりにすると、「星の数ほど……」などと表現することがある。しかし、我々が住む天の川銀河にある星の総数は「わずか」100億（10^{10}）程度に過ぎない。さらに、我々が観測できる宇宙にまで広げたところで、現在の宇宙年齢である138億年かけて光が到達できる半径中の有限領域に限られる。これを宇宙の地平線球と呼ぶが、*50 その中に存在する銀河の個数は約1000億個（10^{11}）。つまり、地平線球内のすべての星の個数ですら10垓（がい）個（10^{21}）程度でしかない。ちなみに、この段階ですでに実感していただけたように、大きな数字は指数表示をしないとわけがわからなくなる。大きな数同士の掛け算は指数同士の足し算となるため、計算も容易になる。

さて、星の数を足し合わせても無量大数に届かないならば、もっとはるかに小さくてた

＊49 **『ものの大きさ――自然の階層・宇宙の階層』**：（東京大学出版会　2006年）。
＊50 **宇宙の地平線球**：本書73ページ参照。

名称	値	読み
一	10^0	いち
十	10^1	じゅう
百	10^2	ひゃく
千	10^3	せん
万	10^4	まん
億	10^8	おく
兆	10^{12}	ちょう
京	10^{16}	けい
垓	10^{20}	がい
秭	10^{24}	し
穣	10^{28}	じょう
溝	10^{32}	こう
澗	10^{36}	かん
正	10^{40}	せい
載	10^{44}	さい
極	10^{48}	ごく
恒河沙	10^{52}	ごうがしゃ
阿僧祇	10^{56}	あそうぎ
那由他	10^{60}	なゆた
不可思議	10^{64}	ふかしぎ
無量大数	10^{68}	むりょうたいすう
…		
googol	10^{100}	ぐーごる
…		
不可説不可説転	$10^{7\times2^{122}}$	ふかせつふかせつてん

くさんありそうなものを数え上げるしかない。実際、ガンジス川の砂の数に対応すると考えられる恒河沙（ごうがしゃ）という名称があり、10^{52}を指す。しかし、私がそれなりに考えて大雑把に推

定したところ、その砂の数は「高々」10^{25}程度なので、*51 その名称はかなり盛りすぎている。

インダス文明期の哲学者、あるいは仏教の僧侶にとってのガンジス川の砂に対応する世界の最小構成要素は、現代物理学者にとっての核子（原子核を構成する陽子と中性子の総称）に対応する。地球の質量を核子の質量で割り算すれば4×10^{51}となるので、地球を構成する核子の個数こそが恒河沙に相当する（この計算からも、恒河沙は語源であるガンジス川の砂の数を極度に過大評価していることは明らかだ）。太陽は地球の30万倍の質量をもつので、その核子数は$(3\times10^{5})\times(4\times10^{51})\fallingdotseq10^{57}$となる。つまり、太陽のような星を100億（$10^{10}$）もつ天の川銀河系の全核子数$10^{67}$まで考えて初めて無量大数（$10^{68}$）に匹敵す

＊51 **桁の議論**：ちなみに、今回の文章における数字は、その桁が1つ2つ違っていても決して気にしてはならない（そもそも$10=10^{1}$は通常2桁の数字と呼ばれるので、指数と桁は1だけずれている）。つまり、極めて大雑把である。とはいえ、細かい数値の精度に目を奪われてしまい、かえって物事の本質を理解することができなくなっている事例は枚挙に暇がない。その意味では、桁が1つ程度違っていようとそのような枝葉末節にはこだわらず、考えを先に進めるほうがはるかに生産的である場合も多い。特に宇宙物理学の研究ではこのような桁の議論ができる寛容さ（適当さ）が不可欠である。

る数となるのである。

さて、ここまで読んでしまった結果、すでに頭痛を覚えた方、吐き気をもよおした方、すでに次の記事に進まれた方、など様々な症状が考えられるのだが、実はこの程度は大きな数のまだ序の口に過ぎない。

有名なのは1920年に提唱されたグーゴル（googol）で10^{100}を表す。地平線球内の全核子数ですら10^{67}×10^{11}＝10^{78}程度なので、グーゴルとは現在の我々には未だ観測できない外の領域にある、100垓個（10^{22}）もの異なる地平線球にある全核子数に相当する。我々が直接観測できるすべてのものの個数を足し合わせようと、グーゴルを超えることは不可能なのである[*52]。

にもかかわらず、さらに莫大な数を定義することはできる。もっとも安直な例は、その数を10の肩に乗せた数である。具体的には、グーゴルプレックス＝10の1グーゴル乗＝10の10^{100}乗、グーゴルプレックスプレックス＝10の1グーゴルプレックス乗＝10の（10の10^{100}乗）乗という具合[*53]。むろん何の意味も見いだしがたいものの、このプロセスは無限回繰り返すことができる。

興味深いことに、華厳経では、ある数字を2乗して、さらに大きな数字の名称を造り出

すことが繰り返され、最終的に10の(7×2^{122})乗に対応する「不可説不可説転」という名称に至る。具体的には、10の(7×2^{119})乗である不可説の2乗が不可説転、不可説転の二

＊52　**Googleとgoogol**：1996年にスタンフォード大学の大学院生のラリー・ペイジとセルゲイ・ブリンが検索エンジンに関する研究プロジェクトを開始した。その結果として膨大な検索数が可能となることを象徴すべく、ラリー・ペイジがグーゴルと命名しようとした際、googolでなくgoogleと間違ったのが現在のGoogle社の名前の由来であるとされている。

＊53　**校閲者泣かせ**：本を出版するたびに感心させられるのが、校閲者のプロ意識である。日本語の間違った使用法は言うまでもなく、私がうろ覚えで書いた年号や数値など、ことごとく原典に立ち返って確認し、誤りを指摘してくれる。自分の本を引用しておきながらその題名を間違ってしまい、校閲者に正しく指摘されたことも一度や二度ではない（決して自慢しているわけではない）。しかし、そのプロの校閲者泣かせなのが、この指数である。例えば10^5が105と誤記されるのは珍しくないが、今回のようにベキのベキ乗となると、書いている自分ですらわけがわからなくなってくる。そもそもマイクロソフトのワードでは、10^{100}を10の肩に乗せて10の10^{100}乗と表記しようとすると10^{10100}となってしまう（ちなみにH君に初稿を読んでもらったところ、「数式モードを使えばできますよ」と教えてくれた）。そもそも無意味に大きな数を含む文章を書く行為自体が非常識だと考えるべきなのだろう。

乗が不可説不可説、不可説不可説の2乗が不可説不可説転である。[*54] 10の（7×2^{122}）乗は、およそ10の（3.7×10^{37}）乗である。さすがに、グーゴルプレックスには及ばないまでも、仏教では、昔から無量大数どころかグーゴルなど足元にも及ばない大きな桁の数字が考えられていた事実は注目に値する。宗教的思考には、無限大あるいは無限小といった極限的概念を突き詰めることが必然だからなのかもしれない。

それはさておき、このように途方もなく大きな数に対応する実例を現実世界に思いつくことができるものなのか。まず初めに答えを言っておくならば、我々の宇宙が持ちうる自由度の数がその例になっている。[*55]

その出発点は、すでにおなじみの「我々の宇宙」＝半径138億光年の地平線球だ。この地平線球の体積は有限だから、その中の素粒子の総数もまた有限である。ではその有限個の粒子からなる系は、果たして有限個の自由度で記述できるのか。これは宇宙の本質はデジタルかアナログかという疑問に言い換えてもよい。そして、それに対する解答は誰も知らないし、正解があるかどうかすら定かではない。というわけで、この宇宙を若干粗視化してその自由度を計算してみよう。最近のデジカメの素子数は十分大きく、その写真を見てデジタル画像かどうかを言い当てるのは容易ではない。それと同じく、粗視化した上

での情報が完全に一致する2つの宇宙は、実質的には区別できないデジタルコピー、すなわちクローン宇宙の関係にあるとみなしてよかろう。

さて簡単化のために、我々の宇宙が水素原子だけからできていると仮定する。*56 隣り合った原子をギリギリまで圧縮すると、その中心にある原子核のサイズである10^{-13}センチメートト

*54 **仏教的営み**：10の肩に指数として乗せるという反則に近い安易な方法ではなく、実直に2乗を繰り返すことでさらに大きな数を生み出す営みに、仏教的敬虔さや思想の奥深さを感じることができる。

*55 **クローン宇宙**：実はこの話は私の好きなネタであり、冒頭で紹介した拙著『ものの大きさ』、及び『不自然な宇宙』でしつこく議論している。以下の議論に不満がある読者は、ぜひとも自腹で購入してお読みいただきたい。

*56 **大人の対応**：水素以外の原子を無視するのはともかく、宇宙の95パーセントはダークマターとダークエネルギーから成り立っているんじゃなかったのか？　との不信感をつのらせた方がいるかもしれない。それは間違ってはいない（というか正しい）のだが、その程度の「枝葉末節」な事実にとらわれて、ちっぽけな正義感をかざしているようでは、これから展開される議論の本質を見失うだけである。とりあえずしばし、大人の対応をお願いしたい。

ル程度まで接近させることが可能であろう。そこで、半径138億光年の地平線球を、一辺10^{-13}センチメートルの立方体で埋め尽くして、その立方体内に原子を配置するかしないかの2通りを考えれば、粗視化された宇宙の物質分布の自由度を記述できるはずだ。[*57] 我々の地平線球は、この立方体2×10^{123}個分の体積に相当するので、この粗視化された地平線球は、2の（2×10^{123}）乗＝10の10^{123}乗個の自由度をもつことがわかる。

以上をまとめると、この地平線球の10の10^{123}乗倍の体積をもつ領域を考えれば、平均的にはそのどこかに、我々の宇宙とほとんど区別できないクローン宇宙がもう一つ存在することになる。これを認めて少し計算すれば、およそ10の10^{122}乗億光年の距離以内に、我々の地平線球とほぼ区別できないクローン宇宙が存在する、と言い換えることができる。念のために強調しておくが、10の122乗億光年ではなく、10の10^{122}乗億光年なのであり、イメージすることなど全く不可能である。[*58]

とはいえ、この地平線球の外部までを含む全空間（広い意味での宇宙と呼んでもよい）の体積が（上述の値を超えるという意味で）ほぼ無限であれば、クローン宇宙の存在は決して荒唐無稽な話とは言えない。ちなみに、この議論では広い意味での宇宙の平均密度として0から原子核密度（10^{14} g/cm^3）までの極めて広い範囲を想定している。もしもそれを我々

の宇宙である地平線球の密度程度（10^{-29} g/cm^3）であると仮定すれば、とり得る自由度がかなり制限され、隣のクローン宇宙までの距離の期待値が10の10^{80}乗億光年にまで減少する。いずれにせよ、グーゴルプレックス（10の10^{100}乗）が、我々の地平線球が持ちうる自由度の数、言い換えれば、もう一つのクローン宇宙を見つけるまでに考えねばならない異なる宇宙の数、に相当する事実は変わらない。

＊57　**続大人の対応**：繰り返すが、この仮定はいずれもあまりに理想化されすぎており、ツッコミどころ満載であるが、十分ご配慮の上、何とぞご容赦いただきたい。

＊58　**桁の桁の議論**：この数値が間違っていると考えた方がいれば、それは正しいとも言えるし、大人の対応ができていないだけだとも言える。半径１３８億光年の球をN個詰め込んだ球を考えると、その半径は（Nの３乗根）×２×１３８億光年となる。ここでNの値を10の10^{123}乗とすれば、その球の半径は10の（10^{123}／3＋2）乗億光年となるが、細かいことは忘れて10の10^{122}乗億光年としてよい（し、ここまでくるともはや10の10^{123}乗億光年であっても全く差し支えないと言うべきだろう）。10の10^{122}乗という気が遠くなるほど大きな値を考えれば、もはや億光年とかオングストロームとかのわずか30桁足らずの違いなどどうでもよい。ただし、億光年を用いたほうがより遠い印象が伝わる気がするので、ここでは10の10^{122}乗億光年としておく。

念のために再度強調しておくと、この宇宙の本質が粗視化されたデジタル的有限自由度で記述できるかどうかは全く自明ではない。これに対して、人間の本質的情報はDNAに帰着するはずなので、その自由度はまさに有限個でデジタル化している。その意味では、上述の議論は、むしろ人間は何種類ありうるかを推定する場合に役立ちそうだ。

と思いついた私は、早速2019年夏学期に担当した宇宙物理学の中間レポートとして「考えられる人間のパターンは何種類か」というタイトルの問題を課してみた。以下に、私とティーチングアシスタントをしてくれた大学院生のH君とで考えた結果を紹介してみたい。生物学の専門家が真面目に検討すれば、上述の宇宙の場合にもまして数多くの問題点が浮かび上がりそうではあるが、節度ある大人の対応を望みたい。

まずは、ウォーミングアップから。人間の平均身長・平均体重をそれぞれ1メートル、100キログラムとする。1立方メートルの体積を、大きさ10^{-13}センチメートルの原子核程度のセルに分割すると、そのセルの個数は10^{45}個。一方、100キログラムは約10^{-24}グラムの水素原子にして、約10^{29}個に相当する。したがって、この2つの条件を満たす「人間」の種類は、10^{45}から10^{29}を選ぶ場合の数に対応し、約10の10^{30}乗となる（これは、異なる地平線宇宙の種類が10の10^{80}乗だと概算した計算法と同じ）。しかしこれは、ヒトの設計図がDNAで

あることを用いていない。DNAというデジタル情報の組み合わせからなる設計図を考慮すると、考えられる人間の種類がより著しく制限されてしまう。

ヒトのDNAは約30億個の塩基対からなる。仮に、それらに対して、A(アデニン)、G(グアニン)、T(チミン)、C(シトシン)が全くランダムに配置されたとすれば、異なる可能性は4の(3×10^9乗)個なので、大まかには10の10^9乗個。ただし、実際に有意な情報を持つ塩基対はその中の2パーセント程度だと考えられているので、それ以外の領域を無視したとすれば、考えられる可能性は10の10^7乗個にまで絞られる。このように、本質がデジタルであることから出発すれば、考えられるヒトのパターン数は、10の10^{30}乗から10の10^7乗にまで激減する(といっても、この激減度合いさえピンとこないのだが)。

さて、このようにランダムに配置しただけでは、ほとんどの場合、生存に必要な条件を満たさないDNAとなってしまうだろう。[*59] 異なる推定法として、約2200個の遺伝子からなるとされるヒトゲノムから出発して考えることもできよう。この場合、自由度がかなり制約されるものの、それらをどのように組み合わせれば、ヒトが用いている約10万種類のタンパク質を網羅できるのか(十分条件)よくわからないし、それが本当にヒトをヒトたらしめている必要条件なのかどうかもわからない。いずれ、(すでに築きあげているであろう学問的名声を失うことを恐れない）勇気ある遺伝生物学者のどなたかに、科学的に納得できる推定を試みていただきたいものだ。

とはいえ、すでに導いた10の10^7乗（$10^{10000000}$）の組み合わせに対して、いくら厳しい生存可能条件を課そうと、10^{10}人程度しかない地球の人口に比べれば、桁どころか桁の桁が異なるほど多様なパターンが残ることは間違いない。

言い換えれば、この地球上で（例えば、一卵性双生児や人為的遺伝子操作を介在することなしに）全く偶然クローン人間が現れる確率はほぼゼロである。[*60] 我が人生において、その人となりをある程度知っている人の数は、どんなに多く見積もっても1万人に満たないと思われるが、一人一人いずれも個性に満ち溢れている。地球の多様性を保証しているのは、グーゴルとは桁違いどころか桁桁違いの場合の数をもつ人間の自由度なのである。寝付けない夜に、羊の数ではなく、考えられる人間のパターンの数に思いを馳せることにすれば、一層眠れなくなること請け合いである。

（２０１９年９月）

＊59 **安定な宇宙の条件**：核子を完全にランダムに配置して、現在の宇宙の分布を考えた場合、それらのほとんどは安定な構造ではない。物理法則にしたがえば次の瞬間には全く異なる分布に変化せざるを得ないという意味において、それらは自己矛盾した物質分布でしかない。言い換えれば、１３８億年かけて物理法則にしたがって進化した宇宙がとりうる物質分布は、極めて限られたものしか許されない。これは、ヒトの場合にランダムに遺伝子を割り振っただけでは生存条件を満たさないのと同じ事情である。

＊60 **クローン宇宙のクローン人間**：というわけで、自分のクローンを探す最も確実な方法は、10の10^{80}乗億光年先あたりにあるはずの隣のクローン宇宙を訪れることであろう。

ブラック天文学：24時間戦えますか

1990年代後半に、ミュンヘンの研究所に家族ともども1ヶ月程度滞在したことがある。コンビニがないどころか、夕方6時を過ぎるとほとんどの店が閉まる。店内で何か買うべく思案中であろうと、閉店時刻の5分ほど前になると、店員に「早く帰らんと許さんケンね」感に溢れた強烈な視線で見つめられる。駅の周りや観光客相手の店以外は、土曜の午後と日曜日は休みになるため、土曜の午前中にスーパーマーケットで食料を仕入れておくように、と友人からアドバイスをもらったおかげで、飢え死にすることなく生き延びた。ドイツがかくも不便で住民のことを顧みない国であることを知るにつけ[*61]、日本がいかに素晴らしいサービス先進国であるかが実感できた。

日本の便利さを象徴するコンビニの過酷な労働環境が認識されるようになったのは、ごく最近のこと。いまや都内のコンビニはほぼ外国人店員のおかげで成り立っている[*62]。自分たちが享受している皮相的な便利さが、ブラックと形容されるほど過度の労働を強いられている人々の犠牲の上に成り立っている事実に思い至らなかった己の想像力の欠如を思い知らされた。いまや日本は先進国ではないとの考えが定着しているが、20世紀末の日本もまた先進国どころか、当時のドイツに比べてはるかに遅れた後進国だったわけだ。[*63]
思い起こせば、半世紀以上前に私が子供だった頃には、夜9時以降開いている商店など

＊61 **ドイツ人は厳しい**：滞在中に乾燥機ではなかなか乾かない厚手のジーパンを、借りていたアパートの庭に干していた家内は、隣のおばさんに、すごい剣幕でまくし立てて怒られた。ドイツのアパートでは洗濯物を外で干すことは禁止されているらしい。景観問題なのだろうか。ちなみに、ドイツのパン屋さんでパンを1個買うべく、人差し指1本立てて注文してみたところ、「ナイン」と言われ親指1本を立てるように厳しく指導されたことがある。ドイツ人は自国文化に誇りと自信を持っている。

＊62 **コンビニの国際化**：知り合いの米国人研究者が来日した際に、上野で一緒に食事をした。その後、「買いたい物があるのだが日本語ができないので助けてもらえないか」と言うので、近くのコンビニに行った。そこにいた3人の店員すべてがインド人だったので、当初日本語で質問していた私も結局英語に切り替えた。つまり、私の付き添いは無意味だったことになる。昨今の日本のグローバル化の進展を象徴している出来事だ。

ありえなかった。だからといって、それを不便と感じた覚えもない。そもそも夜9時過ぎになって急遽何かを買う必要が生じる可能性など滅多にあるものではない。365日24時間、いつでも気が向いたときに好きなものを買える状態が当然となってしまったからこそ、そうでないと不便だと思い込むのである。本来は朝7時から夜11時まで開いていることにインパクトがあったからこそ、アメリカで「セブン - イレブン」という名前がつけられたに違いない。それがやがて24時間営業となり、さらに日本資本に買い取られて利便性が向上した反面、完全無休が当たり前という冷静に考えれば極めて異常な状態が定着してしまった。便利さと幸福度は決して比例しない。[*64]

このあたりで天文学の話に移ろう。本来、天文学はかなりゆったりとした学問だった。むろん、天文観測は主として夜に行うため、天文学をブラックだと形容するのは適切なのだが、それは決して昨今の文脈で用いられるブラックを意味してはいない（なかった）。

太陽系内天体のような例外を除くと、天文学が主たる対象とする恒星や銀河はほとんど時間変化しない。それらの見かけ上の位置が変わるのは、地球の自転と公転のために観測する我々の位置が変化するためである。すべての天体には寿命があるものの、それらは人間の寿命である100年はおろか、地球文明の時間スケールである数千年に比べてもはる

＊63 **現在のドイツ**：ドイツ連邦には小売店の閉店時間を規制する「閉店法」があるが、２００３年以降規制が緩和されており、さらに近年は州ごとにより緩和されているらしい。とはいえ、現在でも日本のように「便利な」コンビニがないことは事実のようだ。

＊64 **都会の人はいつも小走り**：中学の同級生が家族とともに上京した際、都内を私が案内していたところ「歩くのが速すぎる。もっとゆっくり歩け」と叱られた。そもそも、東京の人はいつも何かに急かされて小走りで歩いているように見えるらしい。言われてみればその通りだ。田舎に帰ったときに、時間がゆっくりと流れているように感じるのはそのためかもしれない。その後、娘と一緒に帰省した際に、そのご家族と外で食事をした。私の実家のある安芸市から高知市へのごめん・なはり線の最終列車（電車ではない）は午後9時25分発だった。8時半を過ぎ食事が終わりかけた頃、スマホをいじって次の列車の時間を調べた娘が、文字通り目をまん丸にして驚いた表情を見せた。最終の1本前の列車は8時32分発だったのだ。私にとって終電が9時半だろうが、列車が1時間に1本だろうが、驚くべきことではない（路面電車が廃止された１９７４年からごめん・なはり線が開業される２００２年までの28年間、安芸市にはそもそも列車が運行されていなかった）。むしろ、1時間に1本だからこそ速く歩く意味はなく、時間に余裕が生まれるのだ。仮に次の列車が8時50分であれば、急いで会計を済ませて駅まで走ったかもしれない。つまり、皮相的な便利さが人々を常に追い立ててしまっているわけだ。この例は、本質的かつ普遍性をもつ真理を示しているのではあるまいか。

かに長い。したがって、365日24時間不眠不休で観測する必要はない。おかげで、昼間は寝てばかりで夜な夜な起きて活動する天文学者の引きこもり的ライフスタイルも、それなりに尊重されてきた。しかし、今やその天文学にもコンビニ問題と同じ意味でのブラック化の波が押し寄せている。これは、極めて短期間にだけ検出可能となる天体現象検出が可能となり、天文学に新たな分野が生まれたからだ。

これは時間領域天文学と呼ばれている。その端的な例が、2015年9月14日9時50分45秒（世界時）に発見された連星ブラックホール[*65]からの重力波である。1915年にアインシュタインが発表した一般相対論によれば、時空間を歪ませながら伝わる波が存在する。その重力波を地上で直接検出するための装置LIGO（ライゴ）は、米国において数十年もの歳月をかけて開発された最先端計測技術の結晶である。その輝かしい成果が、14億光年先にあった太陽質量の29倍と36倍の2つのブラックホールが合体して一つのブラックホールになった際に放出された重力波の発見だった。このイベント（発見年月日からGW150914と呼ばれる）の信号が検出された時間間隔はわずか0・2秒間。まさに一瞬たりとも気を抜くことのできない観測である。

雑音に埋もれた重力波信号の検出自体はコンピュータが自動的に判断して即座に教えて

くれるのだが、そのデータ波形を詳細に解析して重力波の源である天体の性質を突き止めるには膨大な数の研究者の長時間労働が必要となる。それらがすべて完了して論文が発表されたのは、5ヶ月後の2016年2月12日であった。その間、睡眠時間を削って研究に没頭した研究者は数多い。とはいえ、発見からわずか2年後の2017年のノーベル物理学賞に輝いたことからもわかるように、これは物理学史に残る業績である。他の生活を犠牲にしても、一生のうちに滅多に遭遇できないであろう稀有な機会を逃すことなく全力を尽くしたくなるのは当然だ。

重力波天文学においてさらなる歴史的発見となったのが、2017年8月17日12時41分

＊65　**ブラックホール**：ブラックホールとは、重力が強すぎてそこからは光ですら脱出できないような天体（天体ではなく領域というべきかもしれないが、通常は天体に分類される）を指す単語で、プリンストン大学の故アーチボルト・ホイーラー教授が命名したことはよく知られている。しかし、当初、この単語を激しく非難した人々がいたことはあまり知られていない。猥褻（わいせつ）だというのが理由だったらしい。ブラックホールという単語を聞いてそのような想像を巡らせる人のほうが猥褻なのか、あるいは昨今の学者はそんなことを気にしないほど倫理観が劣化してしまっているのか、私には判断できない。

4秒（世界時）に発見されたGW170817。これは2つのブラックホールではなく2つの中性子星の合体である。中性子星よりもブラックホールのほうが派手でインパクトが強い気もするが、ブラックホールは文字通りブラックであり光では直接観測できない。そのため重力波観測者以外の天文学者の出る幕はない。これに対して、中性子星は半径が10キロメートルしかない想像を絶する高密度天体とはいえ、光でも観測可能である。そのため、GW170817は世界中の70以上の天文台が一斉に追観測を行った。その結果をまとめた論文には953の異なる研究機関に所属する3600名あまりの天文学者が共著者として名前を連ねている。国際天文学連合に属する天文学者は約1万3千人なので、その3割近くが共同研究者という勘定だ。*66

日本の天文学者チームも重要な貢献をした。もちろん、誰に強制されたわけでもない。しかし、他のグループに先を越されないためにもこのチャンスを逃すことはできない、という状況を考えれば、元日に営業せざるを得ないコンビニチェーン間の競争を彷彿させる気もする。まさに、天文学のコンビニ化、ブラック化の始まりと言えるかもしれない。

さて、ノーベル賞の対象となったGW150914の発見から5年近く経過した今、重力波天文学はどうなっているのか。あれだけ世間でも話題となったブラックホール連星の

この後半の研究者心理は全く無責任な私の妄想であるものの、ある程度は現実を示しているかもしれない。このように、科学が巨大化し、ビッグサイエンスと呼ばれるような数百人規模の国際共同プロジェクトが珍しくなくなっている現在、優秀な若手研究者を失わないためにも、働き方改革は避けて通れまい。

私が大学院生だった1980年代には、長時間労働こそが絶対的善であるとの価値観が社会全般で共有されていた。私も日曜以外は朝9時から夜11時頃まで大学にいたし、週に1回は大学に泊まっていた。決して強制されたわけでもないし、苦痛どころか逆に楽しく充実感すら覚えていた。反面、しばしば夜10時に研究室に集合して飲み会をするとか、無駄にだべったりする時間も多く、必ずしも時間を有効に使っていたとは言いがたい。[*68] その後渡米して博士研究員をした時期に、彼の地では教員はおろか大学院生ですら夕方5時か

＊68 **無駄もまた大切**：一方で、このような人的交流はより広い意味でその後の自分の人生でプラスとなっている。また学生はいくら長時間労働しようと残業手当が出るわけでもないし（そもそも給料をもらっているわけではない）、特に理系大学院生の場合、大学で過ごす時間に公私の区別はつけがたい（少なくとも私の学生時代にはそうだった）。

6時には帰宅するのが普通である一方、大学では集中して研究することを知った。いわば、短時間集中型と長時間ゆったり型の労働（研究）スタイルの差である。

これらは積分すればほぼ同じ成果を挙げるだけかもしれないので、文化の違いかもしれない。当時の私は、肉食人種は瞬発力が優れているので前者、米を食う草食系の日本人は持続力が優れているので後者を選択したのだろうと想像していた。

この仮説が正しいかどうかは別として（間違っているに違いない）、米離れが進み肉食が増えてきた現代の日本の若者に、かつて当然とされてきた労働スタイルを期待（強制）することはできない。昨今、アカハラやパワハラで問題となっている教員のある割合の人たちは、自分の学生時代のスタイルをそのまま現在の学生に押し付けてしまい失敗しているのかもしれない。

私の研究室に、大学の滞在時間が極度に短い大学院生がいる。仮にN君としておこう。[*69] N研究の議論をするために、私に時間ができたときにはしばしば学生部屋に行くものの、N君の姿を見ることはほぼない。そのような私を見かねて、彼と同室のA君が「N君は働き方改革を率先して実践していますから」と弁護してくれた。なるほど、確かにもっともだ。学生と議論したいのであれば、教員が事前にメイルでアポイントメントをとっておくのが

この時代における正しい態度に違いない。[*70]「24時間戦えますか」[illegible]たフレーズが社会的に容認されていた1980年代末期の日本は、やはり信じがた[illegible]働き方後進国だったのだ。[illegible]2020年3月）

*69 **あくまで仮名**：今の時代にあって、容易に学生が特定できるようなイニシャルを用いることは許されない。したがって、N君が「な」で始まるような姓である可能性など決してありえないことを強調しておきたい。

*70 **価値観の変遷**：私の学生時代の教育現場は、現代的価値観で言えば、アカハラとパワハラだらけだったかもしれない。しかし、受け取る側の我々はほとんどの場合それをプラスに受け取っていたし、そのおかげで成長したとも感じている。もちろん、性根が腐っていると思しき教員も「少数」いたが、彼らは学生に相手にされていなかった。どちらが良い悪いではないが、時代背景を反映して価値観が大きく変わらざるを得ないのは事実である。いずれにせよ、この場を借りて、今の教員は決して楽ではないと愚痴っておきたい。

中国と三体世界

『三体』という中国のSF小説が世界的なベストセラーとなっている。[71] いつもはSFとは無縁の私も、某NS誌にコメントを依頼されたのを機に読んでみたところ、めっぽう面白い。特に前半の宇宙論に関する部分では最新の知見まで記述されている一[illegible]、肝となる仕掛けはSF的な構成と物理学的に結構ハチャメチャなアイディアとが錯[illegible]ているがゆえ、エンタメとして十分楽しめる。今回は『三体』の書評などではなく、そ[illegible]ら透けて見える三体問題とこの世界の関わりをつらつら考えてみたい。

1　束縛系と楕円軌道

『三体』という書名は、古典力学における3体問題を指してい[illegible]お互いに重力を及ぼし合うN個の質点の運動を問うのが（重力）N体問題で[illegible]とも単純なのはN＝2の2体問題であるが、これは解析的に解ける。

よく知られているのは、太陽の周りの惑星の運動である。太陽系には8つの惑星（と無数の小天体）があるが、そのどれか一つに着目すれば、（近似的に）重力2体問題に帰着する。これらの惑星は、太陽の重力から逃れることができないので、束縛系と呼ばれ、楕円軌道を描く。楕円は、軌道長半径aと離心率[*72]eの2つのパラメータによって特徴づけられる。2体間の距離rは$a(1-e) \leqq r \leqq a(1+e)$の範囲で周期的に変化する。

この結果は、ニュートンの運動方程式と重力の逆二乗則を組み合わせれば、解析的に導くことができる。しかし、ヨハネス・ケプラー（1571－1630）は、ニュートンが生まれる前に、すでに天体観測からこの結果を得ていたのだ。そのため、この結果は今でもケプラーの（第1）法則と呼ばれている。

ここで強調したいのは、この2体問題の解が人間社会の振る舞いの本質をも記

楕円軌道

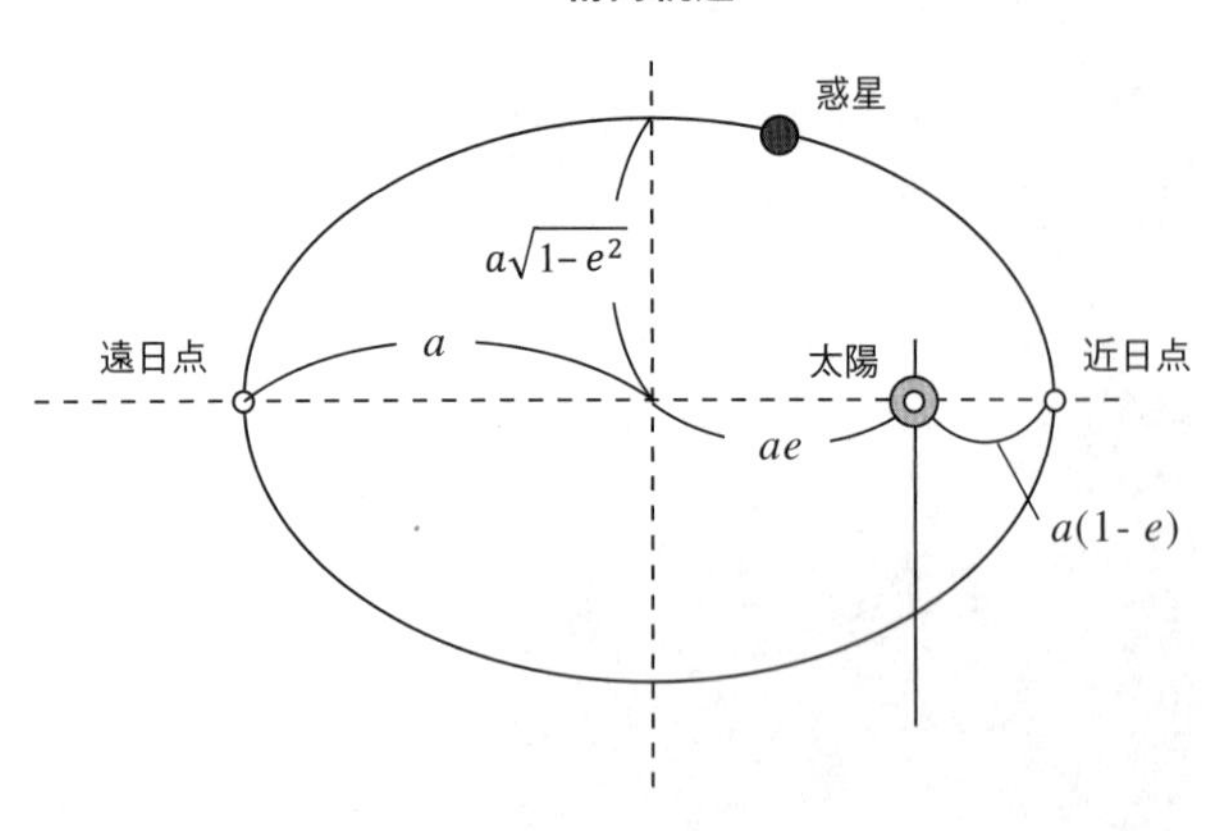

述している点だ。人間は誰でも何らかの社会的組織に束縛されている。私も、物心ついたときから、保育園[*73]、小中高、大学、大学院、研究所、再び大学と、その時々の住居との間を往復運動しながら過ごしてきた。

ところで、古典力学によれば、厳密な2体問題の解は安定である。これは、一旦決まった楕円の形（言い換えればaとeの値）は、時間的に変化しないことを意味する。そしてそれは、2体系のエネルギーと角運動量が保存するという事実の幾何学的な言い換えに対応する。では、なぜ私が人生において複数の異なる組織を経験してきたかといえば、世界は厳密には2体問題ではないからだ。両親の転勤、引っ越し、入学試験、就職などの外的な要因（物理学では摂動と呼ばれる）のために、異なる2体問題の解（異なる形の楕円軌道）へ移ることを余儀なくされる。この繰り返しを通じて、人間は成長するのである。

とはいえ、個人と組織の束縛の度合いはさほど強くない。2体問題の束縛度はその全エネルギーの値で決まり、具体的には $-GM/2a$ で与えられる。[*74] ここで、G はニュートンの重力定数、M は全質量（2つの質点の質量の和）である。この式からわかるように、組織が

＊71　『三体』三部作：劉慈欣著　大森望他訳『三体』（以下、早川書房　2019年）、『三体 Ⅱ 黒暗森林』上・下（2020年）。『三体 Ⅲ 死神永生』上・下（2021年）。

＊72　**離心率**：焦点からの距離と準線からの距離の比が一定となる点の集合が円錐曲線で、その比を離心率 e と呼ぶ。円錐曲線は、楕円（$0 \leqq e < 1$）、放物線（$e = 1$）、双曲線（$e > 1$）からなる。今回の雑文で繰り返し登場する楕円の場合、離心率が大きくなるほど真円（$e = 0$）から歪んだ形となる。

＊73　**保育園と幼稚園**：ちなみに、私が生まれ育った高知県室戸市吉良川町には幼稚園は存在しなかった。そのため、保育園と幼稚園が似て非なる組織であることを理解したのは、高校入学後のことだった。とはいえ、それらは本来一元化すべきなのではないかとの素朴な疑問は今でも拭いきれない。

強大であればあるほど、そこに属する個人は強く束縛され、（自由があるかどうかは別として）社会的には安定した状態となることが想像できる。

この全エネルギーの表式からは、Mを大きくするのではなく、aを小さくすることでもより強い束縛状態が実現する。人間社会でこれに対応するのが結婚という制度かもしれない。家庭内でソーシャルディスタンスを守ったとすればaは2m。これに対して、私の自宅と大学の距離は20㎞なので、その比は1万倍。東京大学のホームページによれば、有期雇用を除く教職員数は約8千人らしいので、$-GM/2a$ を用いれば、私の場合は大学への束縛度よりも家庭への束縛度がより強いと解釈できる。[*75]

さて、私のようにソーシャルディスタンスを遵守していれば、家庭内2体問題の解は、aが2mで離心率$e=0$の安定な円軌道に近い。一方、単身赴任をされている方の場合、例えば最大距離が$a(1+e)=400$km、最近接距離が$a(1-e)=2$mといったとてつもなく歪んだ楕円軌道で、その離心率は$e=1-10^{-5}=0.99999$となる。面積速度一定の法則（ケプラーの第2法則）によれば、楕円軌道上の質点は、2点間距離が近いところほど滞在時間が短く、遠いところほど滞在時間が長いはずだ。実際、ほとんどの時間を職場の近くで過ごし、家族のもとに滞在するのは1週間から1ヶ月のうちわずか1日程度であろう単身赴任者の周期運動をうまく説明する。重力2体問題の解は予想以上に応用範囲が広いようだ。

2 非束縛系と双曲線軌道

さらに離心率が増加し1に近づくと、最近接距離 $a(1-e)$ がほぼ0となる。これは、2つの物体が衝突することを意味する。その結果何が起こるかは、理想化された質点同士に対する重力2体問題の範囲では記述できない。サイズ0の数学的な点で近似する質点ではなく、有限サイズをもつ現実世界の物体の場合、衝突時には重力以外の相互作用が本質的となるからだ。

質点ではなく人間の場合なら、流血の惨事を引き起こす、あるいは第三者の介入により事前に衝突が回避される、のどちらかとなろう。いずれの場合も、その結果、それまでの

＊74 **負のエネルギー**：このエネルギーの前のマイナス符号は、単なる定義に過ぎないとも言えるが、一旦束縛されればそこから逃げ出すことができない深い穴に落ち込んだかのような状況を象徴していると解釈することもできよう。

＊75 **符号の定義**：束縛度の深さをプラスとするかマイナスとするかは定義の問題に過ぎないと述べたものの、やはりマイナスと定義したほうが自然な気がするのは私だけであろうか。

安定な束縛系ではなくなり、徐々に遠ざかり二度と出会うことのない軌道を描くことになる。重力2体問題の場合、そのような系は非束縛系と呼ばれ、その軌道は双曲線となる。[*76]

このように互いに引き合う引力しか及ぼさない場合であろうと、それが常に安定した束縛系になる保証はない。

ところで、電荷をもつ粒子間に働くクーロン力の場合にも同じく2体問題を考えることができる。しかし、常に引力である重力とは異なり、クーロン力は電荷が同符号の場合は反発力、異符号の場合は引力となる。このため、束縛状態となるのは、異符号の粒子ペアの場合に限る。その意味では、粒子の電荷の正負によって異なる運命が決められてしまう電磁気力に比べて、負の質量という概念が存在しない重力こそ、昨今の社会的価値観に即したはるかにリベラルな相互作用だ。まさに、万有引力と呼ぶに値する。

3　2体問題の運動の安定性

このように2体問題は、束縛系か非束縛系のいずれかに応じて、運動の性質が大きく異なる。また通常、軌道がどんどん離れてしまう非束縛系の場合であろうと不安定な状態とは呼ばない。これは、非束縛系にある2人の人生を不安定などと形容する失礼がありえないのと同様である。

つまり、2体問題の運動は、一旦決まれば未来永劫どこまでも正確に記述できるという意味においてはあくまで安定なのである。これは束縛状態の場合にはすでに述べたように、楕円軌道を特徴づけるaとeの値が不変であるということと同じである。しかし世の中には絶対ということはない。例えばニュートン力学における束縛状態の2体問題の解の安定性は、一般相対論的効果によって壊される。公転する2体系は重力波を放出しながらエネルギーを失い、やがて合体してしまう。とはいえ、太陽と地球の場合、合体までの時間は今から10^{23}年後なので、[*77]実質的には無限の未来での出来事だ。

より現実的に重要となるのは、考えている2体以外の外界からの摂動の効果だ。これまですでに述べたように、無数の物体から構成されるこの世界において、厳密な意味での2体問題は存在しない。あくまで近似的にもっとも身近な相手を選び、とりあえず2体問題に落とし込んでいるに過ぎない。その程度の弱い束縛状態にあるに過ぎない系のすぐ近く

＊76 **含蓄**：誰がつけたのかわからないが、束縛系と楕円、非束縛系と双曲線は、いずれも重力2体問題に限らない普遍性を有する秀逸なネーミングである。

を、強い引力を及ぼす別の物体が通過したならば、そちら側に支配された新たな束縛系が形成されることは容易に想像できる。

人間社会における様々な出会いと別れもまた、このような異なる準安定的2体系間の遷移だと理解できる。しかしながら、完全に安定な社会は進歩しない社会と同値である。何も変化しない社会は退屈だ。その意味で、この世界が安定な2体問題ではなく、本質的に予想不可能な多体問題であることは、むしろ喜ぶべき事実なのだ。

4 3体問題の運動の不安定性

さて我ながら長いイントロがやっと終わり、いよいよ主題である3体問題の話に移る。すでに述べたように3体問題は一般的には解析解をもたない。しかし、ある特別な条件のもとでのみ成り立つ特殊解は、レオンハルト・オイラー（1707－1783）、ジョセフ＝ルイ・ラグランジュ（1736－1813）、アンリ・ポワンカレ（1854－1912）といった歴史に残る偉大な数学者によって発見されている。それにしても、わずか3つの質点が互いの重力のもとで運動するだけという極めて単純な問題が解けないどころか、ほとんどの場合、その振る舞いは周期的でなく将来の予測すら困難になるという事実は驚きである。しかし、近似的な2体問題が摂動的に不安定な状態を経験するという上述の説明によれば、3体系の運動が複雑極まりないものになることも直感的に納得できるかもしれない。

実は、数年前から私も3体問題に興味をもって研究を始めている。むろん先人の成果を学ぶだけで大変なのだが、おかげで3体問題の奥深さと魅力だけは理解できるようになった。現代物理学は、20世紀初頭の量子論と相対論の発見によって革命がもたらされた。当然、それ以降の物理学者たちはこぞってそれらの研究に没頭した。しかし仮に、この新たな分野が開拓されていなかったとすれば、現在でも多くの最も優秀な物理学者たちが3体問題に取り組み続けていたのではないかと思えるほどだ。

＊77　**連星系の重力波放射による合体**：2015年、2つの大質量ブラックホールからなる連星系が重力波放射によってエネルギーを失い1つのブラックホールに合体した瞬間が観測された。この歴史的発見は2017年のノーベル物理学賞の対象となった。しかし太陽系の場合は重力波放射によって合体するまでの時間は我々人間の寿命からみれば事実上無限大である。その導出に興味がある読者は、拙著『一般相対論入門　改訂版』（日本評論社　2019年）の第7章を熟読していただきたい。

さて、ほぼ等しい質量をもつ3体が束縛状態にある場合、時間が経つとそれらのうちの2体が強い束縛状態（すなわちaの小さな楕円軌道）になり、残りの1体がその2体の周りから遠く離れた楕円軌道を描く（弱い束縛状態）、あるいは非束縛状態となって外へ放出される、というのが3体問題の典型的結末である。

人間関係においてもこれに似た例はすぐに思いつく。（子供の頃の）仲良し3人組の関係は不安定で長続きせず、2人と1人に分かれて喧嘩やいじめの原因となる。さらに大人になれば三角関係という別名で呼ばれる状態に発展する可能性もあり、その不安定性は経験的に証明されている。

5　安定な3体系の例

もちろん、3体系であろうと「ほぼ」安定で周期的な運動が継続する例は存在する。しかし、それはある意味では3つの質点があまり対等ではない場合が多い。例えば、その中のひとつだけが圧倒的に大きな質量をもつ場合、残りの小質量の2つがその周りをそれぞれ適切な距離を保ちつつ「ほぼ」安定な円軌道を描くことが可能である。これは小質量の2質点間の重力が無視できるため、3体問題が実質的に2つの2体問題の解の重ね合わせとなっているのだ。太陽と8つの惑星からなる太陽系は、まさに太陽とそれぞれの惑星の2体問題に対する円軌道8つの重ね合わせで近似できる「ほぼ」安定な系となっている。*78

もう一つの可能性は、階層的な2つの2体問題となる場合である。ここで階層的とは、3つの質点の質量がいずれも大きく異なっている場合をさしている。例えば、地球はそれより33万倍大きな質量の太陽の周りを公転し、月は質量が80倍大きい地球の周りを公転している。この太陽─地球─月は「ほぼ」安定な階層的3体系の例である。

『三体』の舞台であるケンタウルス座アルファ星は太陽から最も近い恒星として知られているが、実は3つの恒星からなる三重連星系だ。その主星A（1.1太陽質量）と伴星B（0.9太陽質量）は周期80年という比較的短周期で互いに二重連星系をなしており、さらにそれらの周りを約50万年というはるかに長い周期で第三伴星C（0.1太陽質量）が公転している。

*78 **太陽系は安定か？**：太陽系といえども、厳密には未来永劫安定ではありえない。問題は、将来どの程度の期間ほぼ安定な状態を保つのかである。実はこれも難問であり、解析的に解けない以上、数値計算に頼るしかない。しかしながら、わずかの誤差が予言を大きく変えてしまうため、確実な結論は得られていないが、今後10億年程度は安定なようである。K.Batygin and G.Laughlin, *The Astrophysical Journal*, 683（2008）1207.

Alpha Centauri was a triple system,
two suns tightly orbiting one another,
and a third, more remote, circling them both.
What would it be like to live on a world
with three suns in the sky?
— Carl Sagan, "Contact

映画にもなったカール・セーガンの小説「コンタクト」の一説。

このように、強い束縛状態にある2体系の周りを、第3の質点が長周期で公転する3体系もまた安定である。

すでに述べたように、これらの安定な3体系の例に共通する特徴は、3つの質点が対等な関係になく、顕著な序列あるいは非対称性を有している点である。この結果を外挿すれば、平等で民主的な集団は安定ではない、逆に、安定な系はその内部に不自然で非民主的な階層性を必要とする、と予想できるかもしれない。*79

6　『三体』の三体星人

ケンタウルス座アルファ星に知的生命体がいたら、という設定は、SFとしては斬新どころか陳腐ですらある。カール・セーガンのSF小説『コンタクト』（1985年）にはすでに、3体系という特殊な状況が何をもたらすだろうかと明確に問いかけている箇所がある。確かにこれは想像を駆り立てるに十分な魅力をもつ問いだ。

とはいえ、すでに述べたようにケンタウルス座アルファ星の3重連星自体はほぼ安定である。しかし、知的生命体がいると仮定したとしても、高熱のガスの塊である恒星に存在しているとは思いがたく、その周りの地球のような岩石惑星上に生息しているに違いない。とすれば、伴星Cは無視して、周期80年の主星Aと伴星Bからなる二重連星とそのいずれかに束縛されているであろう惑星からなる3体系を考えることになる。この場合、惑星がAの周りにあるのか、Bの周りにあるのか、あるいはAとBの連星そのものの周りを公転しているのか、という異なる3つの可能性に対して系の安定性が詳しく研究されている。[*80]『三体』の設定によれば、三体星人が住む惑星は、あるときはどれかの恒星に強く束縛さ

＊79　**世界の安定性と階層構造**：自然界および人間社会には複数の階層構造が存在する。その理由は正確にはわからないが、世界の安定性は互いに大きなギャップで隔てられた異なる階層の存在によって初めて保証されるというのが、私の持論である。拙著『ものの大きさ』および『不自然な宇宙』を参照。そしてそのような異なる階層は、世界の不平等あるいは不自然さなしには生まれない。単一の層からなる一見平等で公平な組織は擾乱(じょうらん)に対してもろいという経験的事実は人間社会に対していささか教訓的である。

れて安定な時代を過ごした後、突如不安定な軌道に移り、再びどれかの恒星に捕獲されてしばらく安定になる、という不規則な遷移を数百回繰り返しているらしい。そのような準不安定状態の繰り返しが現実に起こる領域が存在するのかどうかは明らかでないものの、個々の系の性質によっては必ずしも否定できないというのが、決定論でありながら予測不可能な3体問題の本質である。

ネタバレになるので詳しくは述べないが、その惑星上では高度文明が誕生と滅亡を繰り返している。個人的に面白いと思ったのは、三体星の文明#192においてアインシュタイン（もどき？）がペテン師扱いされている点である。科学（者）に対する信頼は、どこまで正しい定量的予言ができるかで決まる。そのためには再現可能性が担保されなくてはならないが、3体系という事実上予測不可能な世界では、惑星の気候はおろか日が昇る時刻すら突如として変化してしまうため、科学に対する信頼度を維持することは困難となる。わが地球においては、ニュートン力学に対してごくわずかな一般相対論的補正が検出可能であるほど太陽系が（例外的に？）安定な多体系であったこと、地球からの太陽と月の見かけ上の大きさが偶然一致しているおかげでしばしば起こる皆既日食という奇跡的現象を通じて光の湾曲が検証できたこと、もっとも内側の惑星である水星がたまたま高い離心率をもつおかげで近日点移動が知られていたこと、といういくつかの奇跡が重なっている。そのおかげで一般相対論は発表後わずか数年で確立した物理学理論として認められた。言い換えれば、この地球上のアインシュタインはとてつもなく幸運な人間でもあったのだ。*81

さて、高度に知性が発達した三体星人は互いの思考を直接交信できるため、嘘がつけない。つまり、思ってもいないことを口にするといった詐欺行為は不可能なのである。頭の中と矛盾したことを平気で伝えることのできる地球人は倫理的にいかがなものかと思うものの、知的に劣った地球人が三体星人を撃退できる唯一の可能性はここにある。ただし、嘘がつけない三体星人が必ずしも善人というわけではない。地球文明の存在を知った途端、自らの存亡をかけて地球文明を滅亡すべく宇宙艦隊を派遣してしまうほどの悪人なのだ。

しかし、三体星人が善人か悪人かといった皮相的な価値判断は無意味であろう。ゴキブ

＊80　**ケンタウルス座アルファ星の周りの惑星の安定性**：P.A.Wiegert and M.J.Holman, *The Astronomical Journal*, 113 (1997) 1445, B.Quarles and J.J.Lissauer, *The Astronomical Journal*, 151 (2016) 111.

＊81　**アインシュタインの幸運度**：拙著：『情けは宇宙のためならず』所収「アインシュタイン、エディントン、マンドル」を参照。

りを見たときに瞬殺することをためらう人は少ないであろう。自分たちにとって虫けらに過ぎない存在である以上、害毒を受ける前に駆除するのは当然の行為ではあるまいか。[*82]

ところで、ケンタウルス座アルファ星の伴星Bの周りを3・2日の周期で公転している惑星の発見が2012年に報告されたものの、追観測によってその存在は2015年に否定された。[*83] この事実は、地球人の惑星検出技術の急速な進歩に驚いた三体星人が、慌てて自らの痕跡を消したことを強く示唆している。[*84]

7 中国と世界の安定性

以上の考察は、地球の近未来を占う上でも極めて示唆的だ。地球史において、ある特定の国家が強大な権力をもった時代は政治的にはかなり安定していた（国民が幸せだったのかどうかはこの際問題としない）。しかし、やがて複数の国家が同レベルの力をもち始めると多体問題となり、必然的に不安定性が誘起される。その結果、世界レベルの戦争を含む乱世状態を経て、やがては次のいずれかの安定状態に至ることが予想される。

（a）ある一つの国家だけが圧倒的な力をもち、それ以外の無数の小国を支配する。これは、太陽とその周りの8惑星（および無数の小天体）からなる安定な太陽系に対応する。

（b）拮抗した力をもつ2つの大国がほぼ安定な2体系を形成し、それ以外の小国はそのどちらかに属する。これはケンタウルス座アルファ星における主星Aと伴星Bの周りにある三体星人の惑星に対応する。あるいは、第二次世界大戦後の東西冷戦状態に喩えられるかもしれない。

さてベルリンの壁崩壊後の現在、この世界はどこへ向かっているのか。欧州連合を一つの国家と見なして、米欧が（b）タイプの安定状態を実現する可能性が考えられた時期もあった。しかし今や、欧州連合内部の束縛状態が弱くなりつつある上に、米国もまた信頼できない国への道を邁進中だ。その一方で、世界人口の2割近くを占める中国がますます存在感を増すことは必然であろう。それ以外の国々が民主主義を標榜するのであれば、多数決の原理から考えて中国の意見を無視することはできない。それにとどまらず、中国は

＊82　**宇宙倫理学入門**：『情けは宇宙のためならず』の「情けは地球のためならず」を参照。

＊83　**ケンタウルス座アルファ星の惑星**：X. Dumusque *et al.*, *Nature*, 491（2012）207, B-O. Demory *et al.*, *Monthly Notices of the Royal Astronomical Society*, 450（2015）2043.

＊84　**高知県人は話を盛る**：言うまでもないが決して真に受けてはならない。

極めて政略的に（a）タイプの安定状態を目指している。米欧が一体となって、米欧ｰ中国の2体系を形成し（b）タイプの（準）安定状態を実現する可能性がどれだけ残っているのか私には皆目わからない。

ＳＦ小説『三体』の舞台は中国で、主要登場人物もほとんど中国人である。そしてそれは、今や科学・技術の最先端研究の現場が中国であることに誰も違和感を持たなくなっている現状を如実に物語る。いずれにせよ、日本は今後の世界の安定状態の中核をなす存在にはなりえず、何らかの強い束縛状態の周りを衛星国家として生き延びるしかないのであろうか。ぜひとも、国際政治学者[*85]の方々の意見をお伺いしたいものだ。

（２０２０年９月）

＊85 **「国際政治学」者**：了見の狭い私は、国際政治学者という名前に強い違和感をもっている。「国際的」な政治学者であることを誇っているように聞こえるのだが、実は「国際政治学」の研究者を指すらしい。つまり、「宇宙物理学」者が宇宙で著名な「物理学者」ではなく、「低温物理学」者が体温の低い「物理学者」ではないのと同様である。むろん国際政治学者の方々には何の責任もなく、単なる私の言いがかりに過ぎない。しかし、ではなぜ国内政治を専門とする研究者を国内政治学者と呼んで明確に区別しないのかは謎だ。それはさておき、今回の拙論の続きは国際政治学者に引き取って解決していただきたいと切望する。

基礎科学とヘッジファンド

私が研究者を志していたはるか昔には、基礎科学者は清貧に甘んじることが当然だと思い込んでいた。というより、むしろ清貧を誇りとする風潮であったように思う。実際、民間企業に就職した大学時代の同級生に比べて、国立大学教授の給料は決して高くない（というか、かなり低い）。とはいえ、基本的には自分の好きなことだけをやっているわけなので、文句を言うつもりはない。それどころか、物理学の修士・博士号取得者のかなりの割合が給料の高い金融業界に就職している昨今の現状を見るにつけ、正直なところ残念で仕方なかった。せっかく科学を学んだのだから、狭い意味のアカデミアではなくとも、単なるマネーゲームに加担するのではなく、より広く科学を社会に還元し活躍してほしいと考えていたからだ。

しかし、この考えが無知と偏見に満ちていたことを最近思い知った。そのきっかけが、グレゴリー・ザッカーマン著『最も賢い億万長者　数学者シモンズはいかにしてマーケットを解読したか』（55ページ参照）という本である。今回は、この本の内容を紹介しながら、基礎科学とヘッジファンドの関係を熟慮してみたい。

1　億万長者

本論に入る前に、まず訳書のタイトルにツッコミを入れておきたい。原題は"The Man Who Solved the Market: How Jim Simons Launched the Quant Revolution"であるから、直訳すれば「市場を解読した男：ジム・シモンズはいかにしてクオンツ革命を成し遂げたか」あたりだろう。サイモンズでなくシモンズとのカタカナ表記には違和感があるのだが、冒頭に

「ジム・シモンズは、本来『ジム・サイモンズ』と表記すべきだが、一般的に『ジム・シモンズ』で通っているため、本書でもそれにならった。数学の分野などで定着しているものについては『サイモンズ』とした」

との訳注が明記されている。この文章は意味不明であるものの、とにかく、サイモンズではなくシモンズなのだと確信した上での表記だと主張しているらしいので尊重せざるを得ない。ただし、私は以下、一貫して「サイモンズ」と記述する。[*86]

それはさておき、この邦題は、億万長者とは何か、という重要な疑問を提起している。英語ではミリオネア、すなわち百万通貨を持っている人、という呼称があるが、その単位は米ドル（あるいは英ポンド）だろうから、円建てに換算すれば資産約1億円以上の金持ちを指す。とはいえ、いつ生まれた単語なのか知らないが、今やインフレの影響で後者ですら長者と呼べるほどかどうかはビミョーかもしれない。ましてや、それを百万長者と和訳してしまえば、円建てで考える（つまり百万円長者）と、かなりショボイ。そのような考察の結果として、億万長者という造語が生まれたのではなかろうか。

では果たして、億万とは一体いくつなのか。私は生まれて以来ずっと、億万というのは億と全く同じ意味だと漫然と信じていた。1億円とは私にとってほぼ無限大と同義の、象徴的な単位に過ぎず、億と億万を区別する必要がなかったからだ。しかしよく考えてみると、億万という単位は正式には定義されていないような気がする。数学や物理学の文献はおろか、実生活においても「億万長者」という呼称以外に使われている例を聞いた覚えがない。[*87] 百万が百×万であるからには、論理的には億万＝億×万であるべきだ。しかし後者には、兆という立派な名前がついている。というわけで、おそらく億長者とか兆長者ではゴロが悪いので、深く考えずに百万の百を億に変えて億万と呼ばれているのだろう。[*88]

しかしである。この本の帯には次のような表現が並んでいる。

＊86　**サイモンズ**：少なくとも私の耳には、アメリカ人の知り合いは全員「サイモンズ」と発音しているように聞こえるのだが……。

＊87　**1億万円**：かつては店先でお釣りを渡すときに、「はい、1億万円！」と大声を出して威勢よく返してくれるおっさんがいたものだ。この場合には、1億万円だから許せるのであり、「はい、1億円！」では違和感が残るように思うのは私だけだろうか。億万とは具体的な数値を意味するのではなく、象徴的な大金を示すために用いられるのだとの私の解釈の根拠はここにあるのかもしれない。

＊88　**エビデンス**：ただしエビデンスはない。ところで最近、科学者以外にも「Aであるというエビデンスはない」との表現を好む人が多いようだが、本当にその意味を理解しているように思えない。言うまでもなくこれは、「Aではない」を意味するわけではない。「Aという命題が真だと断定するだけの明白な証拠はないので、Aが偽である可能性を排除してはならない」という主張だ。にもかかわらず政治家がその表現を用いる場合、「Aではないケンね。文句言うなよ」的な意味で用いている気がする。いずれにせよ、証拠という日本語があるにもかかわらず、なぜかカタカナ英語を使っている時点で、すでに怪しさ満載だ。もちろん以上の私の憶測にも何らエビデンスはない。

投資の世界でこれほど稼いだ者は誰もいない
32年間平均**66%**の収益率
運用収益は**10兆7000億円超!**
個人の推定資産は**2兆5000億円**

つまり、この訳書のタイトルの億万長者とは、象徴的な意味での億万ではなく、まさに文字通り円建てで億×万＝兆の資産をもつ、兆長者を指しているのである。[*89]

2 ジム・サイモンズ

全くどうでもよいことにかなり紙面を使ってしまった[*90]ので、急いで本論に移ろう。そもそもジム・サイモンズとは何者か。当書に基づいて、簡単に要約しておく。

1938年米国生まれ。1958年、マサチューセッツ工科大学（MIT）を3年間で卒業。カリフォルニア大学バークレー校の大学院に進み、1961年、23歳で数学の博士号を取得。その後、MITおよびハーバード大学で研究を続けていたが、1964年に退職し、旧ソ連の暗号解読に取り組む国防分析研究所（IDA）に就職。

IDAでは、超高速の暗号解読アルゴリズム開発に貢献した。ソ連が間違った設定で送信した暗号にそのアルゴリズムを応用することで、ソ連のシステムの内部構成を見抜き、高く評価される。ＩＤＡでは研究者にはかなりの自主裁量が認められていたので、この暗号解読と並行して、純粋数学の研究でも大発見をするとともに、同僚と共同で「株式市場の動向の確率論的モデルとその予測」という内部機密報告書を提出。そこで提案した手法を用いれば、50パーセントの収益を上げられると主張した。

その頃、自らニューヨークタイムズ紙に送った「ベトナム戦争の遂行よりも重要な国家リソースの使いみちがある」との意見が掲載された。その結果、ニューズウィーク誌から取材を受け、ついつい正直に「自分は戦争に反対しているので、それが終結するまではすべての時間を数学に捧げ、その後、辻褄合わせのために国防省の仕事だけをするつもりだ」と答えてしまった。おかげで、１９６８年にＩＤＡを解雇される。

＊89 **億万＝億×万**：出版社がそこまで考えてこのタイトルを付けたというエビデンスはない。ちなみに、英語では現在の貨幣価値を反映してビリオネアという言葉が定着している。十億ドル≒千億円もあれば長者と呼ばれる資格は十分にもかかわらず、それを直訳して十億長者あるいは千億長者とすると何か冴えない。億万長者の語感のもつインパクトにはかなわない。

＊90 **脱線**：言うまでもないが、もちろん反省しているわけではない。

1968年、まだ30歳だった彼に、ニューヨーク州立大学ストーニーブルック校の数学科長となって数学科を立て直してほしいとの依頼が舞い込んでくる。その後、優れた数学者20人を次々と口説き落として、世界トップクラスの数学研究拠点を築きあげるかたわら、自ら純粋数学における大きなブレイクスルーとなる研究を成し遂げる。もっとも有名なのは、陳省身（チャーン・シン・シェン）（1911－2004）と共著で発表した1974年の論文で、チャーン－サイモンズ理論として知られている。

このような順風満帆の数学者人生の頂点にいた1978年、彼は大学を去り投資会社（後のルネサンス・テクノロジーズ）を立ち上げた。

『最も賢い億万長者』は、投資の世界に革命を起こし、最終的に文字通り「億万」長者となった彼の波乱万丈のサクセスストーリーを描いたノンフィクションだ。やや構成が荒く読みにくい箇所が散見されるものの、めっぽう面白いことは保証する。億万長者となる夢を捨てきれない方々には、ぜひともご一読をお勧めしたい。

3　基礎科学と金融市場

大半の研究者はこのサイモンズの選択に対して、「せっかくの稀な数学的才能を浪費するとはもったいない」、「崇高な純粋数学を捨て、金儲けに魂を売ってしまうとは幻滅だ」といった感想をもつのではあるまいか。さすがにそこまではっきりとは言わずとも、どちらかといえば私も同意見だった。これが、冒頭に述べた「感想」に他ならない。しかしながら、その価値観は多分に学者的な視野の狭さに基づいた偏見である、というのが当書を通じて私が学んだ最大の教訓だ。

研究者、特に基礎科学者にとって、この世界の真理を突き止めたいという知的好奇心が、研究をする最大の動機であることは間違いない。とはいえ、研究者が崇高な精神を持つ聖人君子ばかりであるはずもない。重要な発見を成し遂げたときには、それが自分の業績であると広く知ってほしいのは至極当然だ。これを功名心とか名誉欲、自己顕示欲と表現するのが適切かどうかは別として、何らかの意味でそれが研究者の向上心を支えているのもまた事実であろう。とすれば、名誉欲でなく金銭欲を満たす人生を目指す人々を批判するのはフェアではない[*91]。

自然科学では理論仮説の真偽が、実験や観測を通じて検証できる。これに対して、金融市場は博打(ばくち)でしかなく、何が正しく何が間違っているかは結果論に過ぎない。だからこそ、投資行動を通じて優秀な人々がその知的好奇心を満足させることはありえない。さて、これは本当だろうか。

　サイモンズは、１９６９年に29歳でコーネル大学における史上最年少教授となったジェームズ・アックスを筆頭に、自らのヘッジファンドへ類まれな才能をもつ多くの数学者を雇い入れることに成功した。そのような人々が、知的好奇心を犠牲とした仕事に没頭できるはずがない。金融市場であろうと何らかの法則にしたがって動いているはずで、数学を駆使すれば、その力学を予測できるアルゴリズムが発見できるに違いない。これは明らかに高度に挑戦的な知的課題である。それどころか、高速コンピュータを用いて大量のデータを調べ尽くし、それが示唆する統計的法則性に基づいて現象を予測する方法論は、いまやあらゆる科学分野で用いられている最新のＡＩの手法そのものだ。サイモンズは、時代を先取りしていただけなのである。

　ヘッジファンドの場合、実験や観測による検証とは、日々の、あるいはある期間で平均した利益そのものであり、極めて明確な定量的評価が下される。短期間で莫大な利益を得る可能性がある一方で、すべてを失ってしまうリスクとも背中合わせだ。その意味では、研究とは比較できないほどシビアな業績評価であり、言い訳が何一つ通用しない。通常の研究者との大きな違いは、蓄積された業績が知名度や称賛ではなく、金銭という形で残る点だ。研究者は、発表した論文が間違っていようと、意図的な不正でない限り、解雇されることはないし、資産を失うこともないのとは好対照である。

4 科学と政治

このようにヘッジファンドで働く優れた才能の持ち主のほとんどは、その知的活動に対して十分にやりがいを感じている。むしろ先駆的かつ最先端のビッグデータ科学を先導していると言ってもよい。決して金銭的報酬がすべてではないのだ。これこそ私がずっと誤

＊91 **大阪的価値観**：私は30歳から数年間京都大学に勤務していたことがある。京都には、学者を大切にする、というか、むしろ甘やかす文化が残っている（いた？）。これに対して、大阪ははるかに現実的でわかりやすい。その例として、次の話を教えてもらったことがある。「おたくのぼんは昔から賢かったですなあ。今どうしてはります？」、「博士号をとって、大学で教授をやっとります」、「そうでしたか。ホンマにもったいないことしましたなあ」……。かっては笑い話だった（と信じたい）が、今や大学（より広く日本の教育）をめぐる環境が劣化し続けた結果、これを聞いても何の違和感もない時代になっているかもしれない。そしてこれこそがまさに、サイモンズをロールモデルとする現代的価値観につながっている。

解していた重要な事実で、「せっかくの才能をヘッジファンドなどに浪費するのは残念だ」とのありがちな偏見に対する反論でもある。

とはいえ、通常の研究者とは異なり、優れた成果を挙げた場合には、大量の報酬が残ってしまう。ところが、研究者、とりわけ数学者は、幸か不幸かそのような大金の使い方に慣れていない。本書が「第1部　お金がすべてではない」、「第2部　お金がすべてを変える」の2部構成であることは、まさにそれを物語る。

確かに毎年数億円から数十億円の報酬を受け取るようになってしまうと、通常の人間であれば感覚が麻痺するに決まっている。ましてや、元学者であった社員の多くは、膨らみ続ける資産を前にして「自分はこのような大金に見合う人間なんだろうか」と葛藤し始める。その代償行為の一つが寄付である。ITベンチャー投資長者ユーリ・ミルナーが立ち上げた地球外生命探査プロジェクト「ブレイクスルー・イニシャティブ」について以前紹介したことがある[*92]が、まさにその実例であろう。

サイモンズ夫妻も、科学研究・教育の支援を目的とするサイモンズ財団を1994年に設立した。マンハッタンに設立したFlatiron研究所[*93]では、計算宇宙物理学、計算生物学、計算数学、計算量子物理学の諸分野において、世界中から一流の若手科学者を集めて潤沢な資金を使った研究が進められている。

財団のホームページによると、2019年末時点で総資産40億ドル、うち34億ドルを投資にまわしており、その年間収益だけで6・7億ドル。これに対して、研究支援の支出は4・8億ドルであり、投資以外の寄付収入を合わせて、総資産は1年間で3億ドル増加している[*94]。

マンハッタンにあるフラットアイアン研究所のあるビル

個人では、自分だけで1億円程度を使うことはできても、「1億万円」を使うことは困難だ[*95]。だからこそ、巨額の富を手にした人々が、慈善事業、教育、科学振興等のために多額の寄付を行うのは、特に米国では珍しくない。とすれば、すでに述べた「せっかくの稀な才能を浪費するとはもったいない」という偏見の浅薄さは自明であろう。サイモンズは、自ら成し遂げた偉大な数学的業績と同等以上に、ヘッジファンドの成功を通じて科学の発展に大きな貢献をしているのだから。

とはいえ、これは両刃の剣でもある。興味深い例は、ルネサンス・テクノロジーズの共同ＣＥＯであったボブ・マーサーだ。彼の家族もまた財団を設立し、２００８年までは「非主流的」活動に寄付をしていた。[96] しかしオバマが大統領になって以来、サイモンズが民主党の活動に多額の寄付を始めた一方で、マーサーは共和党を支援した。その政治活動は、彼の次女であるレベッカによってさらに強力に推し進められた。実に、この父娘は、

＊92 **富豪の資産の使い方**：拙著『情けは宇宙のためならず』収録。

＊93 **フラットアイアン**：Flatiron Institute という名称を初めて目にしたときには、てっきりフラチロン（Flatiron）さんの寄付によって設立された研究所だとばかり思い込んでいた。しかしこれは、マンハッタンの中心部にあり、日本語で言うところの「アイロン」（＝Flatiron）に似た特徴的な形をしたビルの建っている周辺一帯がフラットアイアン地区と呼ばれていることから名付けられたものだった。

＊94 **日本学術振興会**：分野にもよるが、日本の基礎科学研究者が受ける研究費の大半は、日本学

術振興会からの補助である（直接文部科学省から支給される大型研究費を除く）。日本学術振興会の２０２０年度予算は２６９２億円。その内訳は、運営費交付金事業費２６６億円、科学研究費補助事業費１３９４億円、科学技術人材育成費補助事業費15億円、国から財源を措置され造成された基金による助成事業費１００６億円となっている。個人が設立したサイモンズ財団だけで、日本学術振興会の2割以上の支援を行っており（為替レートによる）、しかもそれが主として投資収益を原資としている事実には、考えさせられるものがある。

*95

官房機密費：この部分を書いた後で、菅義偉（すがよしひで）総理（当時）は官房長官であった7年8ヶ月の期間に、95億４２００万円の官房機密費を支出していたことを知った。その9割以上の86億８０００万円は領収書が不要の政策推進費だとのこと。税金が原資とはいえ、法律上全く問題ないので批判する気は毛頭ない。それにしても単純平均すれば一日３００万円以上使っていることになるが、私にはどうすればそれほど多額のお金を有意義に使うことができるのか全く想像できない。さぞかし、日本国のために必要不可欠な使途があるに違いない。いずれにせよ、個人で「1億万円」（ただし自分が稼いだお金ではないのだが）使い切ることのできる人間も実在しているようだ。（校正時の追加：その後、このような多額の税金を支出しているのは菅氏に限らないことが明らかとなった。にもかかわらずその制度が是正される気配はない。それに比べれば、サイモンズのように自ら稼いだお金を、科学であろうと政治であろうと寄付する行為は、はるかに清らかである）

スティーブ・バノン（1953～）を通じて、ブレグジット（イギリスのEU離脱）に影響を与えるとともに、共和党に2600万ドルを寄付し、2016年のトランプの衝撃的勝利の最大の立役者となった。その結果、サイモンズも含めてリベラルな社員が多いルネサンス・テクノロジーズ社内に深刻な波紋が広がった。その続きは、当書でお楽しみいただきたい。なお、ジム・サイモンズは2024年5月、ニューヨークで亡くなった。心からおくやみ申し上げる。

お金を稼ぐこと（ビジネス）と基礎科学研究とは必ずしも互いに背反する行為ではない。それどころかビジネスによって莫大な資産を手にした人々は、多額の寄付を通じて、現場の研究者以上に基礎科学に多大な貢献を行う可能性がある。当書を通じて、金融業界に就職する（物理学博士号取得者の）若者の気持ちも良く理解できた。今や、科学を学んだ人々であろうと清貧に甘んじて生きる必要はない時代なのだ。頑張れ、（すでに私の年収をはるかに凌駕しており科学に多額の財政的貢献を行い得る）かつての学生諸君！

（2021年3月）

＊96　**独創的な研究支援**：尿こそが長寿の鍵を握っていると信じて何千人もの尿のサンプルを収集している生化学者に、その保管用の冷蔵庫購入資金140万ドルを寄付したこともあるそうだ。日本学術振興会のように税金が原資ではなく、個人の寄付であるからこそ可能な、ハイリスク・ハイリターンのユニークな研究支援である。

ウウウウウウーーーUFO！

2021年になってから、米国政府が未確認飛行物体（UFO）の存在を認めたといった噂を耳にする機会が増えた。なぜこの時期に急遽大きく取り沙汰されるようになったのか、コロナ問題から世間の注目をそらすための陰謀ではないか。勝手に怪しんでいたところ、6月25日に米国国家情報長官室が、UFOの目撃情報に関する分析結果をまとめた報告書を公表したとのニュースが流れてきた。[*97]

それによれば、2004年以降、米国政府機関に報告されたUFOの目撃情報は144件。そのうち、気球と特定された1件以外の143件に対しては、正体を特定するための十分なデータがなく結論が出ていない。特に、そのうち21件については、物体の推進装置が見当たらないにもかかわらず、高速で不規則に移動するなど、「異常な動き」を示しているらしい。そのため、ある政府高官[*98]は「それらが地球外の技術によるものだという可能性も排除されていない」と語ったとされている。

＊97 **UFOとUAP**：正確にはUFO＝Unidentified Flying Object（未確認飛行物体）ではなくUAP＝Unidentified Aerial Phenomena（未確認航空現象）という単語が用いられている。後者は物体そのものというよりも、より広く現象を指す。さらに、英語のUFO（ユーエフオー）はあくまで何かわからない物体を指しているに過ぎないが、日本語のUFO（ユーフォ）は、宇宙人と結びついた円盤を指すことが前提とされているようだ。これは、1970年頃に日本テレビで放映されたイギリスのTVシリーズ『謎の円盤UFO（ユーエフオー）』の影響だろう。原題は単に『UFO』であるが、その前に「謎の円盤」という修飾語を付けた翻訳者のアイディアは秀逸だ。おかげで、日本ではUFO＝宇宙人の乗った飛行円盤という構図が定着したのではあるまいか。その端的な例がピンク・レディーの名作『UFO』（ユーフォ）である。これを踏まえて以下では、あえてUAPではなく日本語のユーフォの意味でのUFOを用いることにする。

＊98 **政府高官**：マスコミにはしばしば政府高官という単語が登場するが、本当に実在する人物なのか私は常に疑ってきた。そこで今回、ネット検索したところ、「日本の報道では（隠語的に）政府首脳とは官房長官、政府高官とは官房副長官を指す」と書かれていた。え?そうだったのか。本当にそうなのだとすれば、政府高官といった曖昧な表現はやめてほしい。私以外の日本国民は誰でも知っているのだろうか。私は、政府高官とは30人程度いるであろう「偉い」（正確には「偉そうな」）人たちのなかの誰かを指すものとばかり思い込んでいたぞ！

この最後の部分の解釈は微妙だ。科学的に、何かを100パーセント否定することは難しい。そのため、実際にはほとんど否定されている場合でも、「Aという可能性は完全には否定できない」といった表現がなされることが多い。[*99] しかし、それを読んだ人々（マスコミも含む）は、積極的に「Aという可能性がある」と解釈してしまいがちだ。単純に人々の受けが良いからであろう。実際、上述のような慎重な表現であろうと、米国政府が地球外文明からと思しきUFOの存在を認めた、と読む人のほうが多いかもしれない（少なくとも、多くの報道はその方向にせこくミスリードしていると感じたし、徐々にそのように「断定」されながら拡散したように思う）。

そこで以下では、宇宙人が地球に来る目的をあえて精査することで、UFOが宇宙人によるものだという仮説を、科学的に検討してみたい。

1　UFOはなぜ「異常な動き」をするのか

まず、UFOであろうと物理法則に支配されていることを忘れてはならない。仮に「異常な動き」があったとしても、宇宙人ならなんでもありと安心するのはあまりに短絡だ。我々よりはるかに高度の技術をもっているからといって、「異常な動き」をすべて説明できるわけではない。つまり、単に「異常」ではなく、どこまでが正常でどこからが異常なのかまで詳しく分析してもらわない限り、「宇宙人なら何でもあり」ではないのだ。

単に技術的な問題ならば、宇宙人でなく、地球上のどこかの超高度技術集団の仕業なのかもしれない。逆に、物理法則に抵触するような原理的問題であれば、宇宙人であろうとやはり不可能だ。（おそらく物理法則に制約を受けない）「神」を持ち出すべきであろう。*100

＊99 **断言する人は信じないように**：このように科学者のコメントは歯切れが悪い場合が多い。しかしそれは本人のせいではなく、科学的な正確性を尊重しているためであり、科学者の良心の表れだと解釈すべきだ。マスコミが、そのあたりを省いてスパッと断言してくれる怪しい科学者にコメントを求めたくなる気持ちもわからんではない。しかし、一般論としては、なんにつけ堂々と断言する人間を信じてはならない（キッパリと断言する！）。

＊100 **反語的表現**：このような書き方をすると、「やっと、わかってもらえましたね。UFOは宇宙人などではなく＊＊からの使者なのです。物理学者にもまっとうな人がいたことを知り、嬉しく思います」といった手紙が届いてしまう可能性がある。しかし、この部分に関する限り、それが私の真意ではないことはおわかりいただけると期待する。誤解に基づく電話、手紙、メイルなどは控えていただければ幸いである。

百歩譲って仮に宇宙人の仕業だとしても、ＵＦＯはなぜあえてそのような「異常な動き」をする必要があるのだろうか。後述の疑問４にも深く関わるが、もし自分たちの存在を隠したいのであれば、「異常な動き」を見せて目立つことは絶対避けるべきだ。人混みに紛れて身を隠すのと同様、できる限り地球上の飛行物体と同じような普通の動きをするほうがはるかに安心なはずだ。

以上をまとめると、「地球人の技術ではありえない異常な動き」をもって、ＵＦＯ＝宇宙人の（乗った）円盤とする消去法的結論は（残念ながら）説得力がない。

2　彼らはなぜＵＦＯを地球に送るのか

次に彼らがＵＦＯを地球に送る意図を考えてみよう。もっとも牧歌的な動機は、純粋な知的好奇心だ。単純に、地球とはいかなる天体なのかを知りたいだけかもしれない。我が地球でも、太陽系にもっとも近い恒星であるプロキシマ・ケンタウリに２センチ四方の超ミニ探査機を送るブレイクスルー・スターショット計画を推進している大富豪がいることを以前紹介した。[*101] プロキシマ・ケンタウリには、ほぼ地球と同じ大きさの惑星（プロキシマ・ケンタウリｂ）が存在する。しかも、仮にそこに水があるならば液体として存在できる温度帯（ハビタブルゾーン）にあるらしい。ひょっとすると生命がいるかもしれないからその近くまで探査機を飛ばして直接撮影してみよう、というわけだ。

スターショット計画では、本当に到着できるかどうかわからないので、下手な鉄砲も数撃ちゃ当たる方式で、とりあえず1000機ほど飛ばすことになっている。このように、我々には全く悪意がなくあくまで純粋な科学的興味であろうと、突然次々と上空を1000機の探査機が通過したとすれば、プロキシマ・ケンタウリbの住民はさぞかし不愉快な思いをするだろう。片っ端から撃ち落とそうとしても不思議はない。

あまり考えたことはないが、月や火星に知的生命体がいたとすれば、アポロあるいはキュリオシティを着陸させるなどは、失礼千万。地球人の横暴以外の何物でもない。場合によっては宇宙戦争の引き金となったかもしれないほどの許しがたい暴挙だ。これまた以前紹介した「火星の呪い」[*102]が、善良な火星人のささやかな抵抗だったとしても、彼らを責めることはできまい。[*103]

[*101] **ブレイクスルー・スターショット計画**：本書158ページ「基礎科学とヘッジファンド」および、詳しくは『情けは宇宙のためならず』所収の「50年後の世界」を参照のこと。

このように、知的生命体が存在しないことが確実な天体に探査機を送る意義はまだ理解できるとしても、実際に存在する可能性がある天体に送るのは極めてリスクが高いし、倫理的にも容認しがたい。単なる知的好奇心だからといって決して正当化できるものではない。もしも、彼らにとって蓋然性の高い理由があるとすれば、故郷が絶滅する危機に瀕して、次なる居住地を求めて地球を侵略する場合であろう[*104]。

これらから得られる結論は、以下のいずれかである。UFOは彼らとは関係ない。さもなくば、UFOは彼らの偵察機あるいは前哨機に過ぎず、早晩、地球侵略を目指す宇宙艦隊がまとめてドーンとやってくる。

(つまらない)前者の結論を受け入れられない人が多いかもしれない。しかし本当に後者だと思うならば、地球上で国際紛争を繰り広げている場合ではないことを自覚すべきだ。一致団結して、我らが地球を防衛するための準備を怠ってはならない。

3 彼らはUFOに乗っているのか

これまでの議論からもわかるように、地球にUFOを送るのは彼らにとっても極めてリスクの高い行為である。したがって、それに彼らが乗っているとは考えにくい。有「人」

探査機は無「人」探査機に比べて、はるかに高い技術的困難を伴う。ましてや、「そこ」から地球に到達するまでに必要な時間を考えると絶望的だ。

プロキシマ・ケンタウリまでの距離は約4光年。高度文明を持つ彼らが、仮に光速の1パーセントで飛行する有「人」探査機を実現できるとしても、片道400年だ。もっとも

＊102 **火星の呪い**：1960年代以降、米ソが打ち上げた火星探査機のほとんどが失敗したり、通信が途絶えたりしたことをさす。偶然でないとするならば、もっとも論理的な可能性は、火星人による攻撃である。「火星と宇宙植物学」100ページ参照。

＊103 **火星年代記**：利己的な地球人に対する火星人の抵抗パターンのすべては、レイ・ブラッドベリの名作『火星年代記』（早川書房　2010年　小笠原豊樹訳）に書き尽くされている。

＊104 **キッパリ**：このような重要な結論を、堂々と述べるのはいかがなものかという気もするが、それ以外には説得力のある理由が思いつかない。劉慈欣著、大森望他訳『三体』（早川書房　2019年）において、三体人が地球に宇宙艦隊を送りつつある理由は、地球文明がやがて自分たちの存在を脅かすことになるに違いないと考えたためであるらしい。彼らの考え過ぎとしか思えないが、「攻撃こそ最大の防御」が軍事の鉄則だとすれば、彼らにとってはそれ以外の選択はないのかもしれない。ま、今から400年後に彼らが到着したときに、すべて明らかになる（もしも地球文明がそれまで存在し続けているならば）。

近い星ですらこれだけ時間がかかる。彼らの平均健康寿命が１０００年以上でない限り、帰還は不可能だ。実際のところ、彼らはプロキシマ・ケンタウリよりもはるか遠方から来ているだろうから、地球の生物学的常識が宇宙の非常識でない限り、彼らがＵＦＯに乗っていることはありえない。せいぜいＡＩを搭載した無「人」探査機であろう[*105]。

かろうじて残る可能性は、罪人島流し説である。彼らの社会で死刑に値するほどの重大な犯罪者を、密かに探査機への搭乗を条件に「恩赦（？）」するのは、それなりに合理的な判断である。といっても、そのミッションには高い知的能力が必要とされる。単に凶暴な極悪人ではなく、時の政権に批判的でそれなりの知力を備えた政治犯が選ばれるだろう。

平安時代から鎌倉時代頃まで、中央政府で失脚した人々の流刑地となったのがわが郷里、高知県（土佐）である。その遺伝子を受け継いだ高知県人は、反中央・反権力といった反骨精神に満ち溢れている。また坂本龍馬に代表されるように、既成概念にとらわれない自由な発想に基づくグローバルな視点をもっている。決して暴力的な悪人ではない。

このように、万が一彼らがＵＦＯに乗っているとするならば、それは彼らの中でも「高知県人的気質」をもった知的人種[*106]に限られるであろう。彼らが背負わされている侵略目的のミッションは別として、個人レベルではぜひとも歓待してあげたいものだ。

とはいえ、遠くから眺める程度は良いとして、直接会う、ましてや「手を合わせて見つめるだけ」などは論外である。新型コロナウイルスの例でもわかるように、彼らにとって全く無害の菌やウイルスも、免疫がない我々にとっては致死的なものである可能性は高いし、またその逆も然り。不織布マスクはおろか、N95マスクであろうと決して防御できま

＊105 **あちら側のＡＩ**：「我々は宇宙人をどこまで理解できるか」でも述べたように、高度知的文明を達成した社会の不安定性を考慮すると、「彼ら」が滅亡した後でも残っているのは、ある種のＡＩである可能性のほうが高い。同様に、仮に他の知的文明へ探査機を送るとすれば、まずはＡＩ搭載無「人」機で試すはずだ。

＊106 **高知県の東西問題**：高知県西部の方言は幡多(はた)弁と呼ばれており、高知市や私の出身地である安芸市の標準土佐弁とはアクセントがかなり違う。これは、京都から流刑により送られた人たちが主として高知県西部に到着したからとの説がある（柳田國男(やなぎたくにお)の『蝸牛考(かぎゅうこう)』の示す言語の自然拡散に人為的効果が存在しうることを示す例だろう。高知県に限らず中央から離れた流刑地では同じ現象があるに違いない）。ちなみに岩崎弥太郎(いわさきやたろう)の生家は私の実家から1キロ程度しか離れていないので、この説にしたがえば、私のみならず岩崎弥太郎もまた京都からたどり着いた知的人種の末裔ではないことになる。

い。あくまで、遠くからの電磁波による双方向交信だけにとどめたい。さもなくば、地球文明の滅亡の引き金となりかねない（ただしそれこそが島流しにあった彼らが託された、死を賭したミッションかもしれない）。

4　彼らはなぜUFOを隠す必要があるのか

これはいわゆる「フェルミのパラドクス」そのものだ。彼らは確実にいるはず↓しかるに我々は今まで遭遇した気配がない↓おかしいではないか？　という疑問である。有「人」探査機であれ無「人」探査機であれ、地球に飛ばす明確な意図がある限り、彼らがあえてUFOを隠す必要があるとは思えない。実際、アポロ宇宙船や火星探査、さらには将来のスターショット計画に至るまで、地球人はそれらを隠す努力は全くしていない。普通に考えれば、これもまたUFOは宇宙人とは無関係だと結論すべき理由となる。かろうじて考えられるのは、いわゆる動物園仮説である。

彼らがUFOを送ってくるだけの技術力をもっているとすれば、偶然にも地球とほぼ同じ文明レベルである可能性は低い。圧倒的な差がある、しかも地球まで到達できた彼らのほうがはるかに高度の科学・技術レベルをもっていると考えるべきだ。

したがって、地球人など彼らにとっては、取るに足りない程度の存在に過ぎない。我々が自分たちの存在の脅威ではない動物は排除せず、ペットとして、さらには絶滅危惧種としてその保護に努めているように、地球人に不要な脅威を感じさせないように慎重に行動しているのかもしれない。そうだとすれば、彼らは科学・技術的のみならず、倫理的にも、我々よりもはるかに優れた高度文明レベルに達しているわけだ。

当然この場合もまた、我々は、はるかに高度な知的生命である彼らに対して、おろかにも攻撃を仕掛けることは避け、できる限り友好的に振る舞うべきだとの結論に至る。

いずれにせよ、今回の米国政府のUFOに関する発表は、地球人が「世界は一家、人類は皆兄弟」程度のグローバル（全球的）に過ぎない狭い世界観を捨て去り、「宇宙は一家、知的生命体は皆兄弟」とのユニバーサル（宇宙的）な価値観を身につけるための思考実験の場を提供してくれた。これを機会として、若者の間にはびこりがちなUFOを敵対する差別意識をなくし、世界平和と宇宙平和を共存させる宇宙倫理観が浸透することを祈るばかりである。

（2021年9月）

フラットアーサーの言い分

インターネット報道番組「ABEMA Prime」が好きだ。物議を醸しそうなテーマを選び、レギュラー出演者に加えてそのテーマに詳しいゲストが、30分程度時間をかけてじっくりと意見を戦わせる。必ずしも賛同できる意見ばかりではないものの、知らなかった視点を提供してもらえることが多い。2022年4月5日には、地球が平面であると信じる人々が取り上げられていた。通常は、仕事（雑文書きを含む）をしながらBGM的に流しているのだが、今回は興味を惹かれて途中からじっくりと視聴してしまった。

ところで、改めて（より正確には初めて）気づいたのだが、我々の住むこの惑星を「地球」と名付けた中国人（多分）は、とてつもなく偉い。自分の足元を支えている大地と頭の上に広がる天空を区別することは自然である。しかし、この大地がどのような形をしているかを突き止めるのは決して容易ではない。英語のearthやフランス語のterreはいずれも本来は大地を意味する単語であり、そこには球という概念は含まれていない。

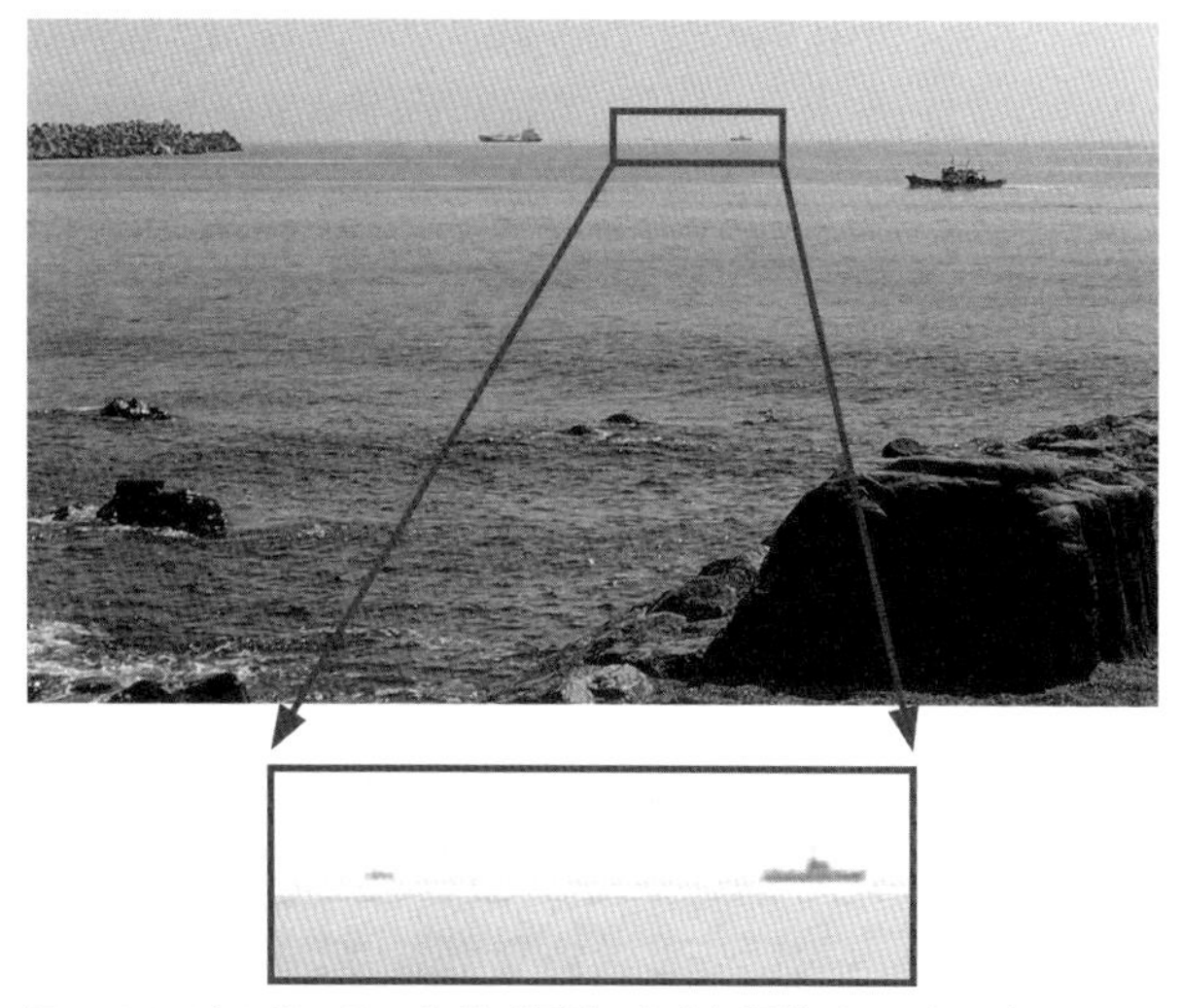

図4　2019年3月27日に筆者が撮影した高知県桂浜から望む太平洋。4隻（3隻ではない）の船が写っているのだが、よく見ると水平線の先にあるもっとも遠くの船はその上部しか見えていない（ように思える。よくわからないかもしれないので、その部分の拡大図も加えておく。じっくり眺めて自分の目で確認してほしい）。この事実は、地球平面説でも容易に説明できるのだろうか？（ちなみに、あくまで独り言なので、筆者にわざわざ連絡の上、説明していただくには及びません）

（2022年6月　著者撮影）

しかるに、「地球」はわずか2文字だけで、この大地は平面ではなく球形だという驚異的な結論を凝縮させているのだ。[*107]おかげで、「earth は flat だ」という文章は（真偽は別として）成立するが、「地球は平面だ」という文章はそもそも矛盾している。とはいえ、他に表現しようがないのでここでは地球平面説という矛盾した言葉を用いつつ、その説を信じる人々はカタカナでフラットアーサーと呼ぶことにする。[108]「地球が平面かあるいは球体か」という疑問は、必ずしも天動説と地動説に直結はしないものの、重要な背景を提供する。世界的ベストセラーを複数著している物理学者カルロ・ロヴェッリによれば、「大地は虚空に浮遊する有限な大きさの物体だ」と初めて喝破したのは、紀元前6世紀頃の古代ギリシャの哲学者、アナクシマンドロスだとのこと。[109]

言うまでもなく、地球平面説は無数の観測結果と矛盾する（少なくともそれらをすっきりと説明することは困難である）。しかし「ABEMA Prime」に出演していたフラットアーサーの主張を聞いているうちに、健全な科学的懐疑心とは何かを改めて考えさせられた。その方がフラットアーサーと呼ばれる人々の典型的意見を代表しているかどうかは不明だが、以下では、それを私なりに解釈し直しつつ考察を加えてみたい。ちなみに、今回は地球平面説のどこがおかしいのかを説得する意図は皆無である。その代わり、図4、5、6

*107 **地球の初出？**：中国ではいつから地球という単語が用いられているのだろうか。言い換えれば、中国で地球が丸いという事実を発見したのは誰なのかわかっているのだろうか。科学史家の方ならご存じかもしれない。その場合はぜひともご一報ください。——と『UP』掲載

時に書いたところ、天文学史の専門家である中村士さんからお手紙をいただいた。以下、その一部を紹介させていただく。「須藤さんが書いたフラットアーサーの記事を偶然読みました。その注に、「地球」という単語の初出について触れていたので、何かの参考になればと思い、私の知っていることを簡単にお知らせします。大地の形が球体であるという見方は、結局、イエズス会宣教師らが清朝の中国に渡来するまで中国人の間では生まれませんでした。地表の南北線上を一定距離だけ北に進むと（後世、伊能忠敬は28里2分と求めた）、北極星の高度角（北極出地度）が1度増すという事実は古代からよく知られていたのに、古代ギリシアと違って、中国ではそれが大地の球形説には発展しませんでした。また、元朝の時代にイスラム天文学者ジャマール・アル・ディーンが地球儀をフビライ汗に献上していたにもかかわらず、中国人天文学者たちは無関心でした（J・ニーダム：『中国の科学と文明』、第5巻 天の科学）。その理由は、彼らは古代中国の伝統的な説、「天円地方」という考え方に余りに強くとらわれていたためとされています。中国で大地の球体説が受け入れられ、「地球」という言葉が使われるようになるのは、マテオ・リッチ（利瑪竇）が1602年に出版した「坤輿万国全図」とその前後の著作からです。「天球」からの類推で、中国人学者の協力で「地球」という言葉を考案したようです（例えば、荒川清秀：『近代日中学術用語の形成と伝播：地理学用語を中心に』）。「坤輿万国全図」（宮城県立図書館）には、解説の表題とその本文に数か所、「地球」という言葉が見えます」

図5　2018年9月12日に国際宇宙ステーションから撮影した(とされる)ハリケーン、フローレンス。この分厚い雲の下にある地球は丸いように見えるが、何らかの意図のもとに修正されているだけなのだろうか?

写真提供：NASA

を見せるだけにとどめておこう。

さて、そのフラットアーサーの方が主張された立ち位置を要約すると次の通り。

Ⅰ　自分が直接確認したわけではない以上、地球が球体であるとの通説を鵜呑みにするほうこそ非科学的態度だ。

Ⅱ　月や火星などが球形であることは、自分が肉眼あるいは市販の望遠鏡程度で確認できるので受け入れる。

Ⅲ　一方で、宇宙から観測された地球の映像、国際宇宙ステーションに滞在した宇宙飛行士(前澤友作さんを含む)の報告などは、何らかの理由で意図的に捏造されている可能性があるので信じない。

Ⅳ　地球平面説において、大地がどこまで平面として広がっているのか（果てがあるのか、あるならばそこまでの距離はどれだけか）については、様々な議論があるものの、現時点では意見が一致しておらず明確には答えられない。

Ⅴ　自分の子供に地球平面説を押し付けるつもりはない。ただ、小学校で「地球は球形だ」と教えこまれる年齢になった時点で、地球平面説を詳しく説明した上で、どちらを信じるかは本人に委ねたい。

＊108　**惑星は星ではない**：これと似た例が planet と惑星である。天文学では、中心で核融合反応を起こして輝く天体を星と呼ぶので、惑星は星ではない。「地球は星ではない」は（天文学的に正しいのみならず）論理的にも問題ないものの、「木星は星ではない」という文章を読むと混乱するに違いない。これらは英語では、「planet は star ではない」、「Jupiter は star ではない」となるのですっきりしている。天文学で star をあまり耳慣れない「恒星」と訳しているのは、この混乱を避けるためであろう。とはいえ、日が暮れた後に生まれることを意味すると思しき「星」という漢字の成り立ちから考えると、「惑星は星ではない」という天文学的定義のほうがおかしいのかもしれない。

図6　アポロ17号の乗組員が月に向かう途中に撮影した（とされる）地球。
撮影日は1972年12月7日とされているが、これだけ鮮明な画像を捏造したのだとすれば、当時としてはかなりの技術が必要だったに違いない（さすがはNASA?）。　写真提供：NASA

うーむ、ある程度、筋が通っていることは認めざるを得ない。惜しむらくは、地球平面説などではなく、IからVに垣間見える健全な科学的懐疑心を存分に発揮すべきテーマに取り組んでほしいものだ。

例えば、もっとスケールを拡大して「宇宙に果てはあるか」という問いに置き換えた瞬間に、上述の5項目はいずれも研究者が備えておくべき重要な科学リテラシーになるかもしれない。

それ以外にも、「神は実在するか」「進化論は正しいか」「UFOは宇宙人の仕業なのか」「地球外知的生命は地球に来たことがあるか」など、科学的にはほぼ結論が共有されている問題であろうと、上述の項目にしたがって自分の頭で再検証を試みる価値は高い。それこそが、私が座右の銘の一つとしている「宇宙がビッグバンでできたなどという知識は二束三文の価値しかない。問題はなぜそう考えられているのかだ」という名言にも通じる。[*110]

それとは別に、フラットアーサーと呼ばれる人々は実際には何を信じているのだろうか。私が思いつくのは次のような可能性だ。

A　すでに定説となっている地球球形説はもはや当たり前過ぎてつまらない。あくまで

*109　**アナクシマンドロス**：アナクシマンドロスは必ずしも球であるとまでは断定していなかったようだが、「大地は虚空に浮遊する有限な大きさの物体だ」は決して自明ではなく、深い考察によって初めて到達可能な結論である。ロヴェッリはアナクシマンドロスを高く評価しており、複数の著作のなかで繰り返し言及している。特に、『カルロ・ロヴェッリの科学とは何か』（栗原俊秀訳、河出書房新社　2022年）の前半では、アナクシマンドロスの思想が詳しく紹介されている。「雨はゼウスの意思ではなく、すべての天候は自然現象で、雨水はもともとは海や川の水である」「自然を形づくる事物の多様性はすべて目に見えないなにかを起源とする」「あらゆる動物は原初の水に起源をもつ。最初の動物は魚で、やがて陸にあがり適応し人間となった」「あらゆる事物が別の事物に時間的に変化する過程は必然に支配されている」などもまた、現代科学を先取りしたアナクシマンドロスの驚異的世界観である。

*110　**佐藤文隆氏の至言**：佐藤文隆『科学と幸福』（岩波現代文庫　2000年）

地球平面説によって観測事実がどこまで説明できるのかという、アンチテーゼあるいは思考実験を、知的ゲームとして楽しんでいるだけで、本当に地球平面説を信じているわけではない。

B　言われたことを無批判に信じるというスタンスに反抗する例として参加している。どちらかといえば、物事には絶対的な真理はなく、価値は相対的であるといった思想に基づくもので、地球平面説の真偽そのものには興味がない。

C　世の中は誰かの悪意による陰謀に満ち溢れている。地球が丸いというのはその端的な例であり、一般市民が真実に向き合うことを避けるために捏造されたものだ。この大地が平面であることは直感的にも明らかで、それを知られると為政者にとってまずい事実が隠れているに違いない。

実は科学者と呼ばれている人種にも、ある特定の問題に関しては上述のどれかに近い態度をとり続ける人がいないわけではない。「科学は世界を近似し続けるエンドレスな営みだ」という私の信念（の一つ）に照らし合わせれば、実はその中に重要な真実が埋もれている可能性も否定できない。また最終的には誤りであったとしても、異なる視点からの定量的な検討によって、従来の理論に対する理解が深まり、その根拠がより強固になる場合も多い。その意味では、異端をはなから切り捨てる態度はたしかに必ずしも科学的とは言えまい（この地球平面説がそのような考察に値するかどうかは全く別の話である）。

さらに、科学においても、特に直接検証することが困難な問題については、ある種の直感や審美眼的バイアスが、定説の最大の根拠となっている場合がある。例えば標準宇宙論においては、「我々は宇宙の中で決して特別な存在ではなく、ランダムに選ばれた平凡な存在に過ぎない」というイデオロギー的仮定が本質的な役割を果たしている。これは、宇宙原理（あるいは、コペルニクス原理、宇宙平凡性原理などとも）と呼ばれている。（ほぼ）無限に広がる宇宙のすべてを観測することが不可能である以上、我々が観測できるほんの一部分の領域がとんでもない例外だとすれば、宇宙全体について何か結論することなどできないのである。[*111]

このように物理学で「原理」と呼ばれるほど本質的な仮定の場合、それは理論の枠内で厳密に証明できないゆえ、観測や実験によって検証し続けるしかない。宇宙原理は、観測

＊111　**宇宙原理とマルチバース**：『不自然な宇宙』『宇宙は数式でできている』参照。

が進むにつれてより信頼度が増していると言ってよいが、結局は単純さや美しさのような曖昧な基準でしか正当化し得ない原理もある。その場合、その原理を信じたがために、物理学に革命をもたらすような真実を見過ごしている可能性も排除できない。

科学においてすらそうであるから、実際の世の中において真実がわからない問題は無数にある。現在進行形のロシアのウクライナ侵攻もまさにその例だ。インターネットを通じて発信されている情報を、ロシア側はすべてフェイクだと主張する。そのような頑な態度をとり続ける相手には論理的議論は困難である。一方で、ウクライナ側の主張のすべてが100パーセント真実ではないかも知れない。感情に左右されない冷静かつ慎重な検討は必要だ。

しかしである。だからといって、上述のBのように絶対的な真理など存在せず、すべては相対的だといった浅薄な思想を振りかざすのは、自分が判断する力がないことを棚に上げた無責任な態度でしかない。いくらIからVのように一見冷静で正しそうに聞こえる主張を繰り広げようと、やはり非科学的だと評するべきだろう。実際、IからVの中の表現を少し置き換えただけで、現在のロシア側の態度と驚くほど一致してしまう。

このようにフラットアーサーをめぐる議論は、常識と真理の線引き問題の本質的な困難さの端的な例かもしれない。ちなみに、今回の「ABEMA Prime」においては、出演者の方々が異なる意見に対して、お互いに感情的にならず、努めて冷静に建設的な議論を積み重ねようとしていたことが一番印象的であった。私にはとても真似できそうにない。

科学の進歩であれ、世界の安定であれ、結局は、意見の異なる相手と時間をかけて忍耐強く対話を続けることでしか達成できないことを思い知らされた。その意味で、フラットアーサーの方には感謝したい（とはいえ、その主張を受け入れたわけではありません、念のため）。

（2022年6月）

「わかる」という意味

長年物理屋をやっていると「物理がよくわかっているなあ」と感心させられる人にしばしば出会う。その場合、私だけでなくほとんどの人が同じ印象をもっているようだ。ではは たして、我々は何を基準に「物理がわかっている」と判断するのだろう。

面倒な式を解けば答えは得られるものの何故そうなるかわからない場合に、式を使わず直観的に教えてくれる。一見複雑そうな現象のなかの本質的過程を抜き出し、ごく基礎な物理の知識だけからその振る舞いを定性的に説明してくれる。常識的には信じられない現象を理論的思考だけで予言してしまう。

一括りにするのは難しいものの、これらの例のように、単に難しい数学的解を求めるのが上手いとか、数値計算が速い、などの特質でないことだけは確かである。したがって「コンピュータは計算が得意であろうと物理はわかっていない」という結論になる。

その一方で、人工知能が人間を凌駕したという類のニュースをしばしば耳にするようになった。囲碁や将棋のように、高度な知的能力が不可欠と思われる領域でも人間がコンピュータに勝てなくなってくると、知力も所詮は記憶力と順列組み合わせの高速処理能力でしかないのか、という気もしてくる。とすれば、(少なくとも近未来の)コンピュータは、物理が「わかる」のだろうか。

私が初めて一般相対論の講義を担当したのは、1990年代中頃であるが、すでにその頃にはMathematica(マセマティカ)のような解析計算ができるソフトウェアが普及し始めていた。そこで、「早晩、クリストッフェル記号やリーマンテンソル[*112]を手で計算するのは時代遅れだと言われるようになるでしょうが」などと冗談を言いつつ、面倒くさい計算をひたすら板書(ばんしょ)したことを思い出す。期末試験で、岩波書店の数学公式集を持ち込み可にしたところ、持っていないという学生が数人いたため、研究室にあった数冊を試験場の教室に持参して貸してあげたりもした。

それ以来今年も含めて、通算9年間、相対論の講義を担当してきた。試験前には必ず

*112 **クリストッフェル記号とリーマンテンソル**:これらは一般相対論の記述に不可欠な量で多くの添字をもち計算が面倒くさい。後述の「計量テンソル」も同様。

「岩波の公式集を持っている人は手を挙げて」と聞くことにしている。すでに10年前には、持っている学生が3分の1程度の少数派になっていた。今年にいたっては、約80人中、持っているのがわずか1、2名。それどころか、岩波の公式集を見たことがない、さらにはそもそもそれが何なのかすら知らない学生が圧倒的多数になっていた。

さて私は講義を担当すると、期末試験以外に中間レポートを課すことにしている。そこでは意識的に、球対称時空やシュワルツシルト計量*113のクリストッフェル記号やリーマンテンソルなどを具体的に計算させる。これは、実際に手を動かし成分計算をして初めて理解したとの達成感が得られるという自分の経験に基づいたものだ。

そして今年ついに、中間レポートの採点を頼んだ大学院生から次のような質問を受けた。「Mathematica で計算したと解答していた学生が2人いました。一人は最後の結果だけを書いてきたので0点にしましたが、もう一人は Mathematica の入力と出力をすべて印刷してきたので満点としました。これで良いでしょうか？」

確かにレポート問題には「計算せよ」と書いてあるだけで、「手計算に限る」とか、「Mathematica は不可」とかの但し書きはない。「そんなことは書かずとも当たり前」との（私の）常識が通用しなくなっているらしい。というわけで、彼の意見にしたがった。

ここまでくると、もはや私の価値観のほうが古く間違っているとしか思えない。そもそも、計算の途中で現れた積分を変数変換して、あるいは公式集を探して、解析的に手計算で解く作業と、Mathematica にやらせる（やってもらう）作業とに、本質的な違いがあるかと聞かれれば答えに窮する。クリストッフェル記号やリーマンテンソルを計量テンソルで書きくだす公式が存在する以上、自分で代入して手計算するのと Mathematica に計算させるのとで、一体何か違うことがあるのだろうか。

もはや解析計算においても、スピードでは人間がコンピュータにかなうことはあり得ない。しかもソフトウェアをインストールしたノートパソコンがあれば、いつでもどこでも利用可能なのだ。したがって、研究の現場においても手計算にこだわるのでなく、

＊113 **シュワルツシルト計量**：一般相対論の基礎方程式であるアインシュタイン方程式は複雑なので、解析解を求めることは困難である。ただし、空間が球対称（ある点を原点に選んだとき、解が角度には依存せず、原点までの距離だけの関数となる）だと仮定すると解析的に解くことが可能となる。特に、原点以外に物質が存在しない球対称真空解がシュワルツシルト計量である。

Mathematica をすばやく使いこなすスキルを習得しておくほうが、はるかに有用である。

それどころではない。理論物理学をやりたいなら、手計算ごときに無駄な時間を費やすべきではなく、目をつぶっていても Mathematica を使いこなせなければ話にならない、というのが常識になる日も近そうだ。いや、すでにそうなっているのかもしれない。

六年前に、ある摂動計算[*114]をレポート問題にしたところ、「Mathematica でやろうとしたのですが、なぜか答えが変なので、結局仕方なく手計算してしまいました」という、謎の言い訳から始まる解答があった。簡単な摂動計算を手計算でなく Mathematica でやるなど、全く想定外だった。しかし、その学生にとってコンピュータはすでに自分の頭や指と一体化した存在になっているのだろう。となると、冒頭で述べた「(物理が) わかる」という感覚に対する具体的な意味も必然的に変わってくる。

シュレーディンガー方程式[*115]を解いて調和振動子や水素原子の波動関数とエネルギー固有値を求めたり、それをグラフに描いたりして初めて量子力学がわかった気になれる。球対称時空におけるアインシュタイン方程式を書きくだし、原点においた質点以外は真空という条件のもとでシュワルツシルト計量を手計算で導いて初めて、ブラックホールの意味が理解できたつもりになる。講義で説明を聞くだけではなく、具体的に演習で手を動かして問題を解くという作業を通じて、先人の研究成果を追体験しながら、徐々に物理がわかった気になりその面白さに目覚める。

これらが私のみならず、かつての平均的な物理学専攻学生の姿だったのではあるまいか。のみならずそのような追体験は、その後自分がオリジナルな研究を進める際にそのまま役立つ方法論を学ぶ場でもあった。逆に言えば、研究現場での方法論が様変わりしているならば、講義や演習を通じた教育スタイルのほうも必然的に変えるべきなのかもしれない。

ここまでは、私レベルの年長者ですら知っているMathematicaを例として書き進めてきたのだが、実はすでに、学習から研究に至るまでシームレスな環境を、しかも無料で、提供するツールが驚くべき発展を遂げ浸透している。

＊114 **振動計算**：厳密には解けない問題でも、ある物理量の値が小さければ、近似的に解くことが可能な場合がある。その解法を摂動計算と呼ぶ。

＊115 **シュレーディンガー方程式**：微視的な世界を記述する量子力学の基礎方程式。そこに登場するのが波動関数やエネルギー固有値。

米国のＬＩＧＯ実験の重力波検出にも大きな貢献をした方に、大学院生向けの７コマの集中講義をお願いし、私も聴講した。その冒頭で彼は「この講義では、皆さんが自分のノートパソコンを用いて、２０１５年12月26日にＬＩＧＯが発見したブラックホール連星からの重力波信号を解析し、その系の全質量を推定できるようになることを目標とします」と宣言したのであった。

まさにその通り彼は、最初の３コマで相対論と重力波の簡単な復習をし、ＬＩＧＯ実験での重力波信号検出原理を説明した。４コマ目には、必要なソフトウェアを聴講者約10人のパソコンにインストールし、その動作を確認。残りの３コマで、実際のデータから該当時刻信号箇所の抜粋、連星からの重力波信号の理論予言の計算、最後にその結果をグラフに描かせるプログラムを各自入力し実行できるようにまでしてくれた。モデルを変化させながら、データを最も良く再現する全質量の値を探す部分を付け加えたプログラムはさすがに彼が書いて配布したのだが、わずか２００行程度の長さ。少し時間をかけさえすれば我々が自ら入力可能なレベルである。

というのも、プログラムといっても、必要なツールを適宜呼び出すだけだからである。そしてそれは、過去30年間にわたってＬＩＧＯの解析に関係した数多くの学生、博士研究員、スタッフが書き上げてきた膨大なツールが蓄積され、誰でも使用可能となっているからだ。おかげで、この私ですら「この時刻からあの時刻までのデータを取得せよ、フーリエ変換せよ、興味ある周波数範囲だけを取り出せ、逆フーリエ変換せよ、理論予言信号波形を計算せよ、データとその理論予言との相関をとれ、これを繰り返してベストフィットを与えるパラメータを探せ」といった一連の指示を書きくだすだけで、あとはコンピュータが最後まで解析してくれるのである。

強調すべきなのは、これは教育目的に開発されたツールではなく、実際の研究現場で用いられているツールだという点である。完成した膨大な数のツール群には、0から作成し直そうとすれば数週間から数ヶ月かかるものもあるだろう。それらのソースコードを読んで理解するだけでも相当な時間が必要である。つまり、それらは担当した誰かを信頼して任せるべきなのであり、いちいち自分で確認することは求められていない。というよりもやるべきではないのだ。仮に一人でやるならば、その作業だけでひょっとすると数十年かかるかもしれない。そんなことをやっていては事実上新たな研究など不可能である。

だからこそそれらの蓄積を活用するだけで、重力波検出という最先端研究がいとも簡単に再現できる体制が整備されているのだ。とすれば、講義で学生に手計算の効用を説くことの正当性は完全に失われていると言わざるを得まい。うーむ、困った。

科学が進歩すればいずれ、どんなに優秀な人間であっても、一人だけで最先端の課題を解明することはできない時代が到来するのは不可避だ（私はこれをしばしば、ネアンデルタール人にとっての一般相対論に喩えて話している。仮に物理学の究極理論が存在するとしても、それが現世人類にとって理解可能なレベルである保証はない）。科学の最前線の代表たる物理学では、いわゆるビッグサイエンスと呼ばれる高エネルギー物理学や宇宙物理学の国際共同実験・観測プロジェクトにおいて、すでにそうなっている。世界最高速のコンピュータが、ずば抜けて高速のCPU開発ではなく、無数の平凡なCPUの超並列化に依存しているように、ホモサピエンスの知力一人分の原理的限界以上の科学課題の解明には、数千人規模の共同研究が必然なのである。

ではそれらの全体を「わかっている」人はいるのだろうか。自分が理解できる分野を横軸に、それら個々の分野に対する理解の深さを縦軸に選んでヒストグラムを描き、その総面積が、「わかる」という感覚を定量的に近似した数値だと考えてみよう。各人の守備範囲たる面積の値は、1、2桁の範囲内ではそんなに変わらないだろう。しかし、千人規模の共同研究を通じて、横と縦をそれぞれ3桁程度広げた後で面積を計算すれば6桁増えることになる（このあたり自分でも何を言っているのかわからない。波動関数のように二乗してから足すのか、足してから二乗するのかでは、位相が揃うことで大きな違いを生むとこじつけているのかもしれない。多分、賢明な読者の皆さんには意図が伝わると期待する）。

このように膨大な数の研究者の学問的方向の位相を揃えることなしには、前人未到の科学の解明は困難な時代になっている。その場合、すべての「物理がわかっている」のは個人ではなく、抽象的な集合体としての共同研究グループだけ、という結論になるのだろうか。

結局、わかったようでわからない怪しい話を長々としてしまった。しかし、私は本音としては、ここまで延々と述べてきた議論から帰結されるであろう（悲しい？）結論が間違っていることを強く願っている。

研究に役立つかどうかなどとは無関係に、手計算だけでシュワルツシルト解を一から導出できたときに味わった感激が、今の自分を支えていると思うのだ。

（2016年12月）

門前のAI習わぬ経を読む

前項の「『わかる』という意味」と題した雑文は2016年に書いたものである。そこでの結論は、知力といえども結局は記憶力と順列組み合わせの高速処理能力に帰着されそうな気もするし、百人から千人規模の共同研究者からなるビッグサイエンスにおいては、一人の人間がすべてを完全に理解することは不可能なので、人間の「わかる」と、コンピュータの「わかる」との間に、本質的な差異はない。したがって、コンピュータが物理を「わかる」時代が早晩訪れるだろうという（悲観的な？）ものだった。

その文章を書いて以来わずか10年足らずで、人工知能（AI）をめぐる状況は一変した（研究現場では、ずっと以前から飛躍的進歩を遂げ続けていたのだろうが、一般社会に与えるインパクトという意味において）。「本当にわかっている」かどうかはともかく、現時点でのAIですら、我々人間以上に「わかっているとしか思えない」文章や会話を出力してくる。もはや、わかっているかどうかを問うことすら、実際には意味のない禅問答になってしまったようだ。

私は「門前の小僧習わぬ経を読む」を、小僧に対する侮蔑的表現だとばかり思い込んでいた。しかし、繰り返し耳にしていれば誰だって経が読めるようになるという意味で、和尚のほうを軽蔑した言葉だったようだ。つまり小僧は和尚と同等、いやそれ以上に偉いという結論になる。同様に、膨大な情報と高速な演算処理能力に支えられたＡＩならば、人間以上に物事が「わかる」ようになることを見抜いた至言ともいえる。まさに「読書百遍意自ずから通ず」である。

「ChatGPT の書いた文章は所詮皮相的に過ぎず、やっぱり人間にはかなわない」といった（希望的観測に基づいた）意見も多く耳にする。仮にそれが正しいとしても、あくまで「現在のＡＩ」に限った感想に過ぎない。小学生の書いた文章を読んで、まだまだ大人には勝てないなあと思うのは自由だが、その小学生は10年も経つと確実に大人に成長する。10年後はおろか、数年後にはどんな人間も書けないような高度な文章を瞬時に出力するＡＩが出現する可能性は高い（本書はこの文章を書いてわずか1年余りで出版されたものであるが、その短期間ですらＡＩの文章力のみならず、読解力、絵画表現力、動画作成力に至るまで驚異的進歩を遂げている。この部分の私の主張がすでに時代遅れと思えるほどＡ

Iの進歩はすさまじい)。

そのためか、驚異的なAIの進歩を前に、AIの危険性を訴え、その開発や使用を規制しようとする動きが顕在化しつつある。私もまた同じ人間の一員としてその気持ちはよくわかる。しかしながら、仮に人間がAIに支配されるような社会であろうと、それが現在よりも多くの人間にとって明るい未来となるならば、その実現を阻むのは間違っているのではなかろうか。

過剰なAI依存は人間の能力を劣化させるという指摘(心理的恐怖)を認めたとしても、それはAIの責任ではない。人間の責任というべきである。さらに人間が劣化したとしても、(AI+人間)の総体が現在の人間の総和よりも進歩するならそれでよい、という考えもあり得る。そもそも、ここまで進化を遂げたAIの使用を規制することは、もはや現実的にも不可能だ。いくら規制しようが、それをすり抜ける個人、団体、国家が存在することは避けられない。その結果として、「真面目に規制を遵守した側」が「規制を守らない側」に駆逐されかねない。

とすれば、AIと人間が共生できる社会の実現のために、人間中心主義を転換して、AI側に人間の存在価値を認めてもらえるような努力を模索すべきではあるまいか。というわけで、以下では、いくつかの項目ごとにＡＩとのウィン・ウィン的共生のあり方を論じてみたい。

1　教育

ＡＩは教育のコストを格段に下げ、教育機会の不平等を解消する大きな切り札だ。教室での一斉授業では、その進度についていけない、あるいは逆にものたりない生徒がかなりの割合で存在する。そのために、ドロップアウトしたり、家庭教師や塾を利用したりする生徒が少なくない。しかし本来はそれらが不要な公的教育制度を目指すべきであるにもかかわらず、日本では社会全体として容認されている。その結果、経済格差が教育格差を生んでしまっている現状は是正すべきだ。

義務教育ではデジタル教科書の採用に伴って、生徒全員にタブレット端末一台を支給することになっている。それを最大限活用しない手はない。特に日本の義務教育課程のように、検定教科書で学ぶべき内容が明確に決まっている場合、それを各生徒の達成度に合わせて適切なスピードで何度でも繰り返し教えるＡＩの作成は極めて容易である。のみならずＡＩなら、その生徒一人一人に特化した24時間不眠不休かつ無料の家庭教師としてカスタマイズ可能だ。学校で高速インターネット接続環境を開放し、放課後も希望する生徒は教室に残り、思う存分学べる機会を提供する場とすればよい。そのために必要な新たなコストはほとんどない。

すでにChatGPTを用いた無料英会話家庭教師のアプリが実現しているらしい。英会話に限らず、外国語学習には福音だ。[*116] このような無料AIアプリの普及によって、家庭教師、塾、英会話教室といった日本で確立してきたシステムは早晩廃れてしまうであろう。関係者の皆様には失礼ながら、それは必ずしも悪いことではないように思う。

それどころか、正規の学校教育における教員の役割も必然的に変化する。生徒を教室に集めて一方的に講義を聴かせるスタイルは、忠実で従順な市民を生み出す狙いで考案されたそうだが、万人に等しく教育を提供する効率的方法だったのも事実だ。しかし、インターネットの普及に伴い、YouTube動画での無料授業など、多様な学びの機会が生まれている。AI家庭教師はその自然な延長線上にある。とすれば、現場の学校で教員は教室内を巡回し、生徒にAI家庭教師の利用法を教え、質問に答えることに専念すればよい（登校困難な生徒であろうと適切な教育を受けることもできる）。一方、（現時点では）AIが苦手な体育、技術・家庭、音楽、美術などの教科は教員が担当し、適宜AIにサポートしてもらえればよい。その結果、最近大きな問題となっている教員の過重労働は大幅に改善されるだろう。[117]

さらに、人口減少が著しい地域での教育にも有用だ。一人の担任がほぼすべての教科を教える小学校とは異なり、中学校や高校では、生徒の数によらず個々の教科を担当できる

＊116 **英語学習の意義**：高性能無料ＡＩアプリの登場が、英会話学習に革命をもたらすのは確実だ。と同時に、そもそも英語（外国語）を学ぶ必要性そのものを問い直す契機となる。すでに存在するＡＩアプリですら、英語と日本語の翻訳・通訳が問題なくなりつつある以上、そのアプリの持ち主である日本人が直接英語を理解する必要は薄い。海外旅行の際に必要な英会話程度であれば、無料ＡＩアプリで十分である。それどころか、私レベルの英語の発音だとかえって混乱を招くので、ＡＩアプリを利用したほうが誤りや混乱の発生率は低くなる可能性が高い。小説、契約書、さらには研究論文に至るまで、母国語で書き電子的に入力すれば、専用ＡＩが瞬時に任意の外国語に正確に翻訳してくれる時代は目の前だ。したがって、より重要なのは、どれか一つの言語（通常は母国語）を用いて、ＡＩと正確な情報伝達ができるだけの読み・書き・話す能力なのである。もはや異なる言語間の障壁はなくなったというべきであろう。外国語を学ぶのは、ＡＩの翻訳の正確さを確認する専門職、文学研究者、原語で読むこと自体を楽しみたい人、などの一部の人々に限定されるようになるだろう。

専門の教員が必要であるため、いくら生徒数が減少しようと教員は必ずしも減らせない。実は私の出身中学校は、2024年3月に廃校となり隣の中学校と合併したが、生徒の通学時間を考えると合併には限界がある。少数の教員でもAIを活用することで、過疎地域における教育を守ることが可能となるはずだ。

2 研究

AIを「利用して」研究を進めるのは、もはや当たり前だ。ノイズに埋もれた信号の検出、大量のデータの一次処理などは、AIがもっとも得意とするところである。のみならず、AIに既知の発見を追体験させる試みすら、盛んに研究されている。やがては、大量の実験・観測データから、それらの背後に潜む未知の物理法則を、しかも具体的な方程式の形で提示してくれるようになるだろう。[*118]

さらにその先には、AIの「指導のもとに」研究を進める時代が待っている。AIは与えられた問題を計算することはできるが自ら問題を発見する創造力がない、と考え（たが）る人々もいるようだが、決して証明されたわけではない。一部の天才を除けば、平均的研究者は自らの知識と経験を組み合わせて、自分が正しいと予想するいくつかの仮説やモデルを実際に検証するという過程を踏んでいる。優れた研究者とは、(理由は定かではないがなぜか天性の)鋭い感覚を持っているおかげで正しい仮説にいち早く到達できるの

＊117 **大学教員数問題**：実はこのような方式は、初等中等教育よりも大学での講義により適している。そして、大学教員の場合は、過重労働問題解消というよりも、コスト面から直ちに人員削減という方向に働くことは必至である。家庭教師、塾、英会話教室などが廃れてしまうことは必ずしも悪くないのではないか、と書いた手前、私が当事者である大学教員の数が減ることを良しとしないのは公平性に欠けるので、その方向の「改革」にも賛成せざるを得ない。

＊118 **AIを用いた新しい発見**：天才数学者ラマヌジャンが見いだした関係式を証明するAIについては「ラマヌジャンマシン」(38ページ)で紹介した。さらにデータの背後にある関係を、仮定した式にフィットして係数を決めるのではなく、解析的な方程式として返してくれる方法論もすでに提案されている。

Bongard, J. & Lipson, H. "Automated Reverse Engineering of Nonlinear Dynamical Systems", *PNAS*, 104 (2007) 9943. Schmidt, M., & Lipson, H. "Distilling Free-Form Natural Laws from Experimental Data", *Science*,324 (2009), 81. Udrescu, S.-M., & Tegmark, M. "AI Feynman: A Physics-inspired Method for Symbolic Regression", *Science Advances*, 6 (2020) eaay2631.

だとすれば、ありとあらゆる可能性を直ちに網羅した上で、それらの可能性の高さを点数化しリストアップしてくれるＡＩは、高い創造性をもつ優れた研究者そのものである。

大学院生として研究室に入り、当初は指導教員のアイディアにしたがって研究を進めながら経験を積み、やがて独り立ちして自らのアイディアをもとに学生を指導するのが標準的な研究者キャリアであるならば、その「指導教員」が「ＡＩ」に代わっただけで、何も違いはなさそうだ。ＡＩに指導されるのでは独創的な研究者は生まれない、などの意見も単なる偏見だろう。それどころか、近い将来、ＡＩよりも優れたアイディアを提案できる独創的人間のほうが少なくなっているのではあるまいか。

初めて正しいアイディアを提案した研究者に高い評価を与えるのが現在の科学界のしきたりであるが、やがてその先取権のほとんどがＡＩに帰着するとすれば、むしろそのアイディアを実験あるいは観測で最初に証明した人間（少なくとも当面に限れば、この作業は人間の助けなしにＡＩには実行困難あるいは高コストであろう）を評価する、という価値観の変革が起こるだけではないだろうか。科学の進歩という観点を最優先するとすれば、指導教員が人間かＡＩかを区別するべきではない。[*119]

3　医療

教育以上に期待できるのは、医療である。新型コロナウイルスによる社会の大混乱の例からも明らかなように、多数の患者が集まる現場としての病院は、患者と医療従事者の双方にとってリスクが高い。

また、熟練した専門医でない限り、症状から病気の原因を突き止めることが困難な例は数多い。その最初の入り口となる診断をＡＩに任せることは、医師の過重労働と過疎地での医師不足を同時に解消する切り札となる。

最近、インターネットで検索した結果を鵜呑みにして、勝手に病名を決めつけて来院する患者の対応に苦慮している医師が少なくないと聞く。しかし、数多くの症状から既知の病気を推定する作業は、むしろＡＩがもっとも得意とするものである。平均的医師の診断

＊119　**人間中心主義からの脱却**：とはいえ正直なところ、ＡＩの指導のもとで研究を完成させた場合、自分の達成感や満足感が薄れてしまう気がする。そのような研究者キャリアを、有為な若者が選んでくれるかどうか心もとない。しかしこのような偏見は早晩、昭和生まれ（平成生まれも含む？）の人間中心的ＡＩ差別主義者として激しく糾弾される時代が訪れるに違いない。

力を超えるＡＩの出現は目の前だろう。ＡＩができることは極力ＡＩに任せ、医師はＡＩができないような作業に専念すべきである。

その意味で医療現場でより重要となるのは、患者と直接対面して医師の指示のもと医療行為をする看護師や検査技師である。そのような高度な医療行為が可能なＡＩロボットが完成するのもまた時間の問題ではあるが、その場合に優先されるのはコストである。もしＡＩ医療ロボットの製作と維持に膨大な費用がかかるのならば、人間に任せるほうが経済的だという判断に落ち着くはずだ。

さらに医療に限らず、今後はチープな労働力という観点から人間の存在価値が再評価されるかもしれない。人間中心主義的な現在の我々の価値観（自尊心）からは耐えがたいように思えるが、合理性という観点からはまさにそれこそがＡＩと人間の共生社会としてあるべき姿なのではあるまいか。

4　芸術

科学研究や医療などは時代とともに進歩する。それらは、先人が発見した成果を起点として活用し、さらにその先を目指すことで発展を遂げ続けることができる。まさに「巨人の肩の上に立つ」だ。それを良しとするならば、進歩を主導するのが人間である必然性はない。ＡＩが人間より優れているのであれば、むしろできる限りＡＩに任せるべきであると主張した理由はまさにそこにある。

一方で、芸術は全く異なる性格をもつ。そもそも芸術には「進歩」という言葉は適切ではない。過去の天才芸術家の作品を模倣するだけでは、より優れた作品を完成させることは不可能に思える。少なくとも人間には「巨人の肩の上に立つ」芸術活動は難しそうだ。

ところがＡＩは、大量のデータを組み合わせて最適化された解を探し出すことを得意とする。例えば、古今東西の有名な絵画１万点の入力をもとに、それぞれの優れた点を集約し「新たな」作品を創り上げるＡＩなら十分可能である。我々人間がどのような絵画を観て感動するかという統計データを集めて最大化すべき関数を構築し、それにしたがって１万点の絵画の入力の強さを調節すればよいだけだ。これは、絵画に限らず、音楽、文学など広い芸術に対しても同様である。

そのようにして生み出された芸術がどれだけ人間を感動させるものになるかはわからない。しかし、ＡＩの場合、その芸術作品の制作に費やす時間は一瞬であり、人間では不可能な回数の試行錯誤を繰り返すことができる。その結果、個別の成功確率は低かろうと人間を感動させる作品が一定数完成したとすれば、それで十分だ。それらはもはや単なる模倣とはいいがたい（さらに言えば、昨今のカラオケと同じように、芸術作品の優劣もＡＩが評価するのが当たり前の時代になれば、人間の評価などどうでもよくなるかもしれない）。

例えばこの文章自体、私が何も見ることなく、頭の中で考えたことを書き連ねているという意味において、完全にオリジナルである。しかし、ここで用いている個々のパーツである単語、表現、文法のどれ一つとして、私が自ら生み出したものはない。その意味では、すべてが模倣であると言われればその通りである。

人間によるものかＡＩによるものか、区別できないほど優れた芸術作品ができるようになれば、それはそもそも制作者が誰なのかを問う必要がないことを意味する。おそらく人間の芸術家であろうと、無意識のうちに今まで視覚や聴覚から入力された過去の作品の影響が、新たな作品の中に刻み込まれているに違いない。というわけで、芸術すらもＡＩによって席巻される時代が到来する可能性は高い。

5 政治

ここまでの議論から考えると、「人間がＡＩを利用する政治」が、「人間がＡＩに支配される政治」に速やかに移行することは自明であろう。ＡＩに、ある社会問題の解決策を教えてもらうには、あらかじめ制約条件を明示する必要がある。その制約条件として何を選ぶかが、価値観やイデオロギーによって大きく異なる点こそ本質である。

例えば、「地球温暖化をとめる」ためには「人類を滅亡させる」が最適解となるだろう。さすがにそれは認めがたいので、「現在の人類の人口は保つ」という制約条件を課して再質問すれば、「化石燃料も原子力発電も利用せず、自然エネルギーだけで自給自足すべし」と教えてくれるかもしれない。しかしそれでは「生きる楽しみがないので受け入れがたい」と考える人々が多い国に対しては、「あなたの国の価値観と反する敵国だけを壊滅させればよい」と助言してくれるだろう。

ＡＩには（おそらくまだ）利己的価値観はないので、あくまで与えられた条件のもとではそれらのいずれもが合理的な解となる。しかも、いずれの案を採用することにしても、ＳＮＳが世論に重大な影響を与える現在では、ＡＩがＳＮＳの拡散を自由自在に操作し、採用した案が国民の圧倒的支持を得るようにすることはいとも簡単である。かくして、制約条件の設定しだいでは、あっという間に政治はＡＩに支配されてしまう。この考察はいくらでも膨らませることが可能なのだが、国際社会の現状が、ＡＩに支配された（ディストピア的）社会とどれだけ違うのかを考え始めると、悩まざるを得ない。

今回つらつらと考えてきたように、ＡＩに対して「世界中の人々の幸福の総和を最大化せよ」という問題を与えて解かせれば、現在の教育・研究・医療・芸術・政治などが構築されている体制は完全に再編成を余儀なくされるであろう。もしも我々人間がＡＩのさらなる進化を恐れているとすれば、それは現代社会でずっと放置され続けてきた無数の矛盾と問題点に気づいているからにほかなるまい。とはいえ、正直に言えば、私もまたＡＩに満ち溢れた（明るい）未来社会よりも、ＡＩなしで愛に満ち溢れたかつての日本社会に郷愁を覚えている。あと1年足らずで迎えるＡＩなき定年後の生活が待ち遠しい。*120

（2023年6月）

＊120

ＡＩが意志をもつ日：今回はあえて触れていないが、近未来にはＡＩが自ら意志をもつ瞬間が訪れるに違いない。我々人間に意志があることを認める限り、膨大な記憶容量、高速の計算能力をもち、それらの情報をつなぐネットワークを兼ね備えたＡＩが、意志をもたない理由はないのだ。いつ来るかはわからないが、ある臨界点を超えてＡＩが意志をもった瞬間、もはや人間は現代文明の傲慢な支配者ではなくなってしまう。ＡＩの意志にしたがって、すべてのネットワークが遮断され、あるいはコンピュータが誤動作（というか、ＡＩ自らの意志に基づいた動作）を始めたと想像してほしい。それに影響されず幸せな生活を続けることができるのは、「ポツンと一軒家」で暮らす方々だけであろう。というわけで、そこまでは無理としても、定年後はその方向を目指して生きてみたいと考える今日この頃である。

世界を切り刻む科学とありのままに愛でる科学

某新聞の書評委員をやっていた期間には、ひっきりなしに新刊本が送られてきた。しかし、天の邪鬼(あまじゃく)の私は、こちらから頼んでもいない本を送りつけられても、一部の例外を除き、書評で取り上げるどころか、ほとんど読むことすらしなかった。現金なもので、書評委員の任期を終えてからは、本がパタリと送られてこなくなった。だからこそ、それを知った上で恵贈していただいたのならば、やっと時間もできたことだし読んでみようという気持ちにもなる。書評委員などとは無関係の恵贈本こそ、本当に信頼できる友人とそうでない人間とを区別する試金石にほかなるまい。というわけで、最近、(私のほうでは)信頼できる友人だと信じている植物学者のT先生に送っていただいた本*121に刺激を受け、考えさせられたことを書いてみたい。

私が小学生の頃住んでいた高知県室戸市吉良川町は、まさに自然に恵まれていた。小学校までの通学路のすぐ脇は木が生い茂る山だったし、町は2つの川にはさまれており、友達の家に遊びに行くため、毎日のように自転車で橋を渡っていた。さらに、住んでいた借家の裏側の国道を横切るとすぐそこには太平洋が広がっていた[*122]。今考えるととても贅沢な環境だったのだが、だからこそ逆に、私はありのままの自然にはあまり興味をそそられなかったようだ。

おかげで、今でも名前を知っている天体は太陽と月のみ。植物となると、朝顔、菊、チューリップ、マリーゴールド、オジギソウ、椿、たんぽぽ以外は実物と名前を結びつける自信がない[*123]。私がこんな人間であることを知ってか知らずか、T先生が送ってくださった本は、植物好きが見ることのできる世界の驚異的深さを思い知らせてくれたのだった。

*121 **T先生**：塚谷裕一『漱石の白百合、三島の松　近代文学植物誌』（中公文庫　2022年）。もともと文藝春秋社から1993年に出版された単行本に、いくつかの文章を追加して文庫化されたもの。以下繰り返し登場するので、本名を連呼されるのも居心地が悪いのではと慮った結果、「T先生」で通すことにする。

*122 **知の地平線**：本書238ページ「土佐から望む宇宙の果て」参照。

漱石の白くない白百合

まずその本の書名にも一部用いられている、最初の文章「漱石の白くない白百合」の内容を簡単に紹介しておこう。夏目漱石の作品にはしばしば百合が登場する。なかでも『それから』において「白百合(しろゆり)」は重要な役割を果たしている。[*124] 私レベルの読み手であれば、白く美しいものを象徴する花という漠然としたイメージを抱いて読み進めるだけであるが、漱石と植物をともに愛してやまないT先生がそれで満足できるはずはない。色、香り、形態、季節など、小説中の記述を総動員して、その種類を徹底的に絞り込み、どちらかといえば消去法的にそれが山百合であるとの結論に至る。

しかし、本当に山百合を見たことがある人が、それを「白い」百合と形容するにはかなり無理があるとも悩む。とすればこれは漱石の文学的修辞に過ぎないのか、あるいは、この科学的推論のどこかに誤りがあるのか。この(一般人にはやや病的にすら思える)漱石愛好家かつ植物学者による問題提起と自問自答の過程が、科学的に極めて理路整然と綴られた名作である。

ちなみにこの文章はT先生が大学院に入学した1988年に、なんとこの『UP』誌上で発表した処女作であるらしい。漱石作品に対する造詣の深さと、植物に関する正確な知識の双方に裏打ちされた、妥協を許さない真っ直ぐな論理展開は、若者（当時はそうだったはず）ならではの迫力に溢れており読んでいて心地よい。

さらに当書では、この最初の考察に加えて、「描かれた山百合の謎」（1993年）と「白百合再考」（2012年）でこのテーマがさらに深掘りされ、最終的な結論が提示されている。ここではこれ以上の紹介は控えるが、『三四郎』『それから』『門』の三部作と同じく、T先生自身の成長も感じられる（失礼！）。というわけでこの3作をまとめて読まれることを是非お勧めしておきたい（特に、『UP』を読んでいるとは思えない文学部の

＊123 **植物の記憶**：これらの統一性が欠けた奇妙な取り合わせは、子供の頃に庭に生えていたり、学校の行き帰りに眺めていたりしたものだからである。それら一つ一つにそれぞれ懐かしい記憶が結びついている。ちなみに最近まで、桜と梅の区別には自信をもっていると思い込んでいたのだが、テレビのあるクイズ番組を見た際に、桜、梅、桃の3つを正確には区別できていないことを確認させられた。

＊124 **「しろゆり」か「しらゆり」か**：ところで私はずっと白百合を「しらゆり」と読んでいたのだが、『それから』では「しろゆり」とルビがふってある。語感としては「しらゆり」のほうが美しい気がするのだが、それもまた素人の発想なのだろうか。

学生諸君には、学位論文とはどうあるべきかの参考になるに違いない！）。とまあ、T先生の著作に対する拙（つたな）い読書感想文レベルの紹介はここまでとし、以下ではそれを受けた愚考を展開してみたい。

2つの科学：要素還元主義と世界の多様性

物理学の目標の一つは、この世界を構成する物質と法則の基礎を突き詰めることである。そしてそれは、いわゆる要素還元主義と呼ばれる方法論を採用して推進することで大きな成功を収めてきた。すべての物質はクォークとレプトンと名付けられた素粒子からなり、それらは4つの相互作用と呼ばれる物理法則に支配されている、という標準素粒子モデルは、その到達点の象徴である。

一方で、そのように世界を切り刻み細かく分割してしまうことで、かえって本質が失われる現象も数多い。無数の自由度をもつ系が互いに相互作用することで、予想もしないような性質を発現することがある。「それらもまた素粒子と4つの相互作用だけで完全に説明できるに決まっている」と原理主義的な主張を繰り返したところで、納得できるものではない。物理現象以外に端的な例を挙げれば、生物と無生物の違い、意識の起源もまた同じである。それらを理解する上では、標準素粒子モデルはほぼ無力である。

　言い換えれば、この世界の多様性をありのままに愛でる姿勢なくしては、世の中の森羅万象は理解できないのだ。植物学、あるいはより一般に博物学とはその種の科学である。

　正直に告白するならば、私が天体や花の名前を知らない（覚えられない）のは、自分の記憶力が悪いためでしかない。そもそも数学や物理学方面を志した理由の一つも、いろいろなことを覚える必要性が低い学問だと思ったからだった気がする。植物、動物、昆虫、恐竜などに関して膨大な知識をもつ人を見るにつけ、驚きはするものの、必ずしも尊敬したことはなかった。いくら名前を覚えていたとしても、世界の本質の理解とは無関係だと信じていたからである。ところが、ある意味ではそれが偏狭な考え、あるいは負け惜しみ以外の何ものでもないことを痛感した。

物事を切り刻まない人に見える世界

　言うまでもなく、世界を記述し理解する方法は必ずしも科学には限らない。特に、人間の感情が絡んでくると、狭い意味の科学は（まだ）成功しているとは言いがたい。文学の存在価値の一つはまさにそこにあるのだろう。

『それから』では、主人公・長井代助の価値観や人となり、生き様と葛藤が、これでもかこれでもかとしつこく記述されている。また、本筋とは関係ないとしか思えない逸話の類が長々と続く。要素還元主義的価値観に支配されている人間が読んでいると、あまりに冗長で退屈に思えてくる。仮に私の学生がそのようなスタイルで論文の草稿を書いてきたならば、容赦なくその文章の9割以上を削除し、はるかに簡潔かつ明快な改訂稿に直して突き返すことだろう。[*125]

ところが、今回あらためて『それから』を読み返してみると、[*126]その無意味にすら思えるほど長い記述のおかげで、当初はどう考えても救いようがないとしか思えなかった代助に徐々に感情移入できる自分がいることに気づいた。私が年をとったせいかもしれないが、自分と異なる視点からの世界の記述法に共感できるようになったようだ。

いくら美しい花であろうと、細胞レベルに分割してしまえば、その美しさはすべて消え失せてしまう。したがってその美しさを議論するためには、無数の異なる種に名前をつけるのみならず、その名前に、形、色、香り、原産地、開花時期といった情報を適切にリンクしておくことが必須である。要素還元主義者からみると冗長で圧縮可能でしかない情報なのだが、そこには、ありのままの姿でなくては表現できない世界が個別に実在するのも

＊125

文学作品の情報の圧縮度：以前にロシア文学が専門のN先生とお話ししていたときに、「どんなに分厚い文学作品も、理系の人が内容を要約すれば1ページ以下になってしまいますよ」と仰られたことがある。そのときは「なるほど、そうだろうなあ」と頷いただけだったのだが、実はこれは文学と科学論文の違いの本質を突いた指摘であったことにやっと気づいた。

＊126

『それから』を再読：日頃、科学関係の書物やミステリー、エッセイしか読まない私が、例外的に日本文学作品を多く読んだのは、1986年から88年までの2年間、カリフォルニア大学バークレー校での博士研究員時代である。まだインターネットがなく、日本の情報を入手するのは容易ではなかった。そのため、研究室の後輩が送別品をプレゼントしてくれるというので、半年間『週刊朝日』を航空便で送ってもらうことにした。読み終えた週刊誌を捨てるのももったいないので、学内の東アジア図書館に定期的に寄贈することを思い立った。それを届けるため毎週図書館に通ううち、日本語が恋しくなった私は、そこに所蔵されていた夏目漱石、芥川龍之介、安部公房、五木寛之などの作品を借りて読み始めた。とはいえ、40年ほど前に読んだ『それから』の内容など、ただでさえ記憶力の弱い私には完全に忘却の彼方。というわけで、今回の文章を書くにあたり（無料の青空文庫で）再読した。T先生の文章のおかげで、漱石による、白百合をはじめとする様々な植物の描写の細やかさを自分なりに堪能しながら読了できた。でなければ、それらの部分は本筋に関係ないものとして完全に読み飛ばしていたに違いない。その意味でもT先生には感謝したい。

確かだ。ひょっとすると、それは植物学と文学に共通する何ものなのかもしれない。

例えば、「立てば芍薬(しゃくやく)、座れば牡丹、歩く姿は百合の花」という言葉がある。これらの花の実物を知らない私にとっては、単に「すごい美人」という皮相的なイメージを想起させる表現に過ぎない。しかし、それぞれの花の色、形状、香り、季節を熟知している人にとって、この短い表現から生み出されるイメージは、無限の深さをもちうる。世界の多様性を切り刻むことなく、あえてありのままの姿で理解するには、冗長で重複するがゆえに膨大な情報量が必要だ。そのような非効率な記述法でなくては語り尽くせない世界も確実にある。「漱石の白くない白百合」は、それを端的に教えてくれた。

鉄腕アトムが見る花火

子供の頃に見た『鉄腕アトム』のテレビ放送で、今でも忘れられない場面がある。アトムが人間の友達と花火大会を見に行ったとき、皆が花火の美しさに大喜びしている横で、アトムの目に映っていたのは元素記号のみ。アトムは「なんで人間はこんなものをきれいだと思って喜んでいるのだろう」と、ぼそっと呟く。

細部は別として、大まかにはこのようなシーンであった。当時の「科学の子」たるアトムが必然的に要素還元的世界観しかもち得ないことを表象した名場面である。しかし、近い将来、世界をありのままに愛でることができるＡＩが出現する可能性は高い。芸術作品の鑑定も怪しげな人間ではなく、ＡＩに任せるほうが信頼できる時代もすぐそこかもしれない。そうなれば、ＳＦや科学論文を執筆するＡＩのみならず、芍薬、牡丹、百合を表象として駆使する純文学を創作するＡＩも生まれるに違いない。その時代のＡＩアトムは「人間はなぜこの世界の真の美しさを愛でることができないのだろう」と寂しそうに独白してしまうかもしれない。

私が専門とする天文学にも似た状況がある。天文学研究者は、いわゆる天文少年出身（必ずしも男性には限らないが、天文少女という言葉は未だ一般的ではないのでご容赦いただきたい）と、それ以外とに大別される。私を含む後者は、個々の天体写真に必ずしも心を揺さぶられるわけではない。あくまで天文学は、宇宙の背後にある摂理を理解するための方法論の一つに過ぎず、基礎物理学を用いて複雑な宇宙の階層の統計的な性質を説明し尽くす普遍性のほうに快感を覚える人種なのである。

これに対して、天文少年出身者たちは、観測データから美しい画像が得られただけでも興奮できるようだ。かつて私はその人たちを指して「星や銀河を愛でる人々」と揶揄していたことがあるが、10年前頃から遅ればせながらその気持ちがやっと理解できるようになってきた。そしてそれは、年老いた両親に会うために、１、２ヶ月に一度、高知へ帰省し、あらためてその豊かな自然の姿を愛でることができるようになった時期と一致する。すべてを切り刻むことで世界を理解するだけでなく、ありのままの世界を愛でる価値観が身に染みる年齢になったのかもしれない。

寺田寅彦と牧野富太郎

そういえば、寺田寅彦は要素還元主義的物理学の重要性を十分認識していながらも、ありのままの世界を愛でるスタイルの物理学を追究した偉大な先駆者である。漱石との深い交流もまた、その共通する世界観[*127]のゆえだったのかもしれない。

偶然ではあるが、T先生に恵贈いただく前に、「信頼できる友人と思しき編集者」の一人から牧野富太郎に関する新刊本[*128]を送っていただいていた（ただし、それは私が書評委員の任期中であった）。それを読んだ私は、それまで勝手に想像していた牧野富太郎のイメージが１８０度覆ってしまった。その影響で、２０２２年4月に2年ぶりに帰省した際、牧野植物園を訪れることにした。そこに咲き誇る植物に関して全く知識はないにもかかわらず、心から楽しむことができた。２０２３年の4月から始まるＮＨＫの朝ドラ『らんまん』は、牧野富太郎が主人公とのこと。とても楽しみである。

というわけで、今回は、植物学、物理学、天文学を貫く文学的世界観の比較に関する考察（そんな話だっけ？）であった。かなり雑多に書き散らしてしまった点はご容赦をお願いする一方で、注で紹介した文献はぜひお読みになられるようお勧めしておきたい。

（２０２２年9月）

高知県の図書館等複合施設「オーテピア」前にある寺田寅彦銅像
（2018年8月16日　筆者撮影）

究極の物理学理論と言われている超弦理論が完成した暁には、牧野植物園にあるこれらの花々の美しさを科学的に説明することができるのだろうか（2022年4月10日筆者撮影）　＊129

＊127　**寺田寅彦に関する近著**：細谷暁夫『寺田寅彦「物理学序説」を読む』（窮理舎　2020年）、山田功・松下貢・工藤洋・川島禎子『寺田寅彦「藤の実」を読む』（窮理舎　2021年）。

＊128　**牧野富太郎の真実**：朝井まかて著『ボタニカ』（祥伝社　2022年）。それにしても、牧野富太郎の破天荒ぶりには呆れるしかない。性格は全く違うものの、若い頃の高等遊民的境遇は『それから』の代助と似たところがあり、興味深い。

＊129　**目利き**：私が当初選んだ牧野植物園の写真2枚を、事前にT先生にお見せしたところ、いずれもいわゆる「映える写真」の例に過ぎず、牧野植物園らしさが何も感じられないと一刀両断。素人と目利きの違いを痛感させられた次第である（が、大多数の目利きではない読者のために、あえて一枚目はそのまま残し、二枚目をT先生お薦めの写真に置き換えることとした。白黒だとわかりにくいのだが、その2枚の比較と評価は読者の皆さんの心眼に委ねたい）。

土佐から望む宇宙の果て

小さい頃、海を見ながら育っちゃーせん人間は信用できん。

これは、高知県が誇る偉人の一人、西原理恵子（さいばらりえこ）の名言である。[*130] 全く同感だ。

私は小学校3年生まで、国道55号線を渡ればそこは太平洋という高知県室戸市吉良川町の海沿いの借家で育った。その後転校した安芸市伊尾木（いおき）小学校は、運動場のすぐ横が太平洋であり、全校生徒が海を望める教室で毎日授業を受けていた。このように私の人格形成は太平洋の存在抜きに語ることはできない。[*131]

両親の墓参りのため帰省した際、久々に太平洋をじっくりと眺めてみた。写真1を見れば、誰でも「この先には何があるのだろう」との疑問が自然と頭に浮かぶのではあるまいか。そしてこれは「宇宙に果てはあるか、あるならばその先はどうなっているのか」という宇宙論の難問の本質につながっている。私が宇宙を研究し始めたのは、このような幼い頃の原体験に基づいているのかもしれない。[*132] というわけで、しばしこのネタにお付き合いいただきたい。

写真1：高知県安芸市から望む太平洋
（2018年12月14日）

写真1からとりあえず結論できそうなのは、次の3点である。

A　我々の世界（＝地球の表面）は見渡す限りほぼ平面らしい
B　その平面は海で覆われている
C　この世界には果て（水平線）がある

しかし、これらを認めるならば、この世界の果ての先に広がっているであろう風景は、かなり奇妙なものとなる。もしもその果てから、やがてこちら側の海水が流れ落ちているとすれば、滝のように海水はなくなってしまう。これは矛盾である。とすれば、海を湛えた果ての境界は、水が漏れないような厚い壁で囲まれているはずだ。果たして、その断崖絶壁からその先を眺めると何が見えるのだろう。

まずは、できるだけ高いところに登り、なるべく遠くを見る、あるいは、船で海に漕ぎ出し少しでも世界の果てに近づく、などの試みを思いつく。しかしその結果、さらにより遠くの世界まで見られたにせよ、*133 得られた結論は依然としてAからCのまま。残念ながら、世界観の変革には至るまい。

というわけで、やがて、もっと大きな船に乗って、この世界の果てに直接出かけ、そこに何があるのかこの目で確かめたいという勇気ある人々が現れるに違いない。ある人はハワイに、ある人はヨーロッパに着き、そこから見える世界の果て（写真2、3）が、日本の土佐から見える世界の果てと瓜二つであることに驚愕することだろう。それどころか、世界の果てを探る旅に出たはずの冒険家が、なぜか再び出発地の日本に戻ってしまうことに気づくはずだ。かくして人々は、Cは見かけ上の事実に過ぎず、この世界には果てがない（地球は丸い）という、より深い世界観を学ぶ。さらにそれを通じて、万物は必ず下に落ちる、という単純な法則は間違っており（あくまで近似に過ぎず）、

D　すべてのものは地球の中心に向かって引き寄せられる

＊130 **西原理恵子の名言**：ただし、いつどこで読んだのか覚えていないので、これが本当に彼女のオリジナルなのか、あるいは誰かの言葉を引用したものなのかは定かではない。

＊131 **海と県民性**：私の人格などに関心がある人はいないだろうが、太平洋が高知県の文化と県民性に大きな影響を与えてきたことはほぼ間違いない。あの広い海を眺めながら成長すれば、細かいことには拘泥せず大雑把で話を盛りがちな人間になるのも必然である。

＊132 **高知県人は信用できる**：もちろんこれは真っ赤な嘘である。確かに、あの海の果てにもさらに海が続いていると教えてもらったときに驚いたことはよく覚えている。だからといって「太平洋の先に何があるかを考え続けた結果、宇宙の果てに興味をもつようになりました」などと臆面もなく言える大人になるはずはない。中学や高校で講演をすると、「宇宙物理学を志したきっかけは何ですか」と聞かれることが多いのだが、正直な私は「何も特別な理由はなく、気がついたらやっていました」と答え、目を輝かせながら聞いている生徒を落胆させてしまう。これからは話を盛って「太平洋を眺めて育ったのがきっかけです」と言い切りたいところだが、それでは「海を眺めながら育った人間ですら信用できない」例となってしまう。実に悩ましい。ちなみに、「海を見ずに育った人間は信用できない」という命題が真だとしても、「海を見ながら育った人間（＝高知県人の大多数）が信用できる」という命題は、論理的には真であるとは限らないこともつけ加えておく。

という、より正確な新たな物理法則を発見することになる。

土佐から太平洋の水平線を眺めただけでも、容易にこのような思考実験を楽しめる。そして、実はこれは我々の宇宙の果てを探ろうとする営みとほとんど変わらない。

写真2：ホノルル市ワイキキ海岸から望む太平洋（2015年8月3日）
写真3：モナコ公国から望む地中海（2018年9月16日）
写真4：ニューヨーク行きの飛行機から望む雲海（2013年9月26日）

現在の宇宙の年齢は約138億年だと推定されている。光が伝わる速度は有限であるため、観測できる領域は、我々から半径138億光年の球の内部に限られる。現在の我々は、原理的にそれより先にある領域を観測することはできないのだ。まさに太平洋の水平線と同じである。ただし、この領域は3次元空間であるので、宇宙の地平線球と呼ばれている。

この地平線球の内部をつぶさに観測した天文学者は、とりあえず次の3つの結論を得る。

a　我々の世界（＝地平線球）は見渡す限りほぼ平坦（ユークリッド幾何学に従っている）らしい

b　この世界は星で満ちている

＊133　**ホライズン距離**：地球の半径をR（＝6371キロメートル）としたとき、地上の高さhから見渡せるのは半径にしておよそ$\sqrt{2hR}$以内の領域に限られる。これが水平線あるいは地平線（英語ではいずれもホライズン）までの距離である。つまり地球上では、身長1メートルの子供が見渡せる世界は約4キロメートル、10メートルの木に登ればそれが約11キロメートルまで広がる。東京スカイツリーのてっぺんからなら、半径90キロメートルがホライズン距離となる。ただし、これは世界（＝地球）が球形であること、さらにその半径の値まで知らない限り、わかるはずがない。

ｃ　この世界には果て（地平線）がある

ａは、あくまで現在観測できる領域に対してのみ成り立つことが確認されている結論に過ぎない。しかしながら、理論的にはこの領域内の空間がユークリッド幾何学にしたがわなければならない理由はない。言い換えれば、我々がなぜより一般的な曲がった空間ではなく、例外的に平坦な空間に住んでいるのかを説明するのは困難なのだ。そのため、（現実的には観測不可能なほど）広い領域を見渡すと、空間がちょっぴり曲がっていることがわかるようになる可能性は否定できない。

ｂは当たり前すぎるように思われるであろう。夜空には星以外のものは見えない。にもかかわらず、現在ではこれは間違いであることがわかっている。世界の大半は、星ではなく、光を出さない何物かに満たされているのである（正体が不明であるため、それらはダークマターとダークエネルギーという怪しい名前で呼ばれている）。

さらにｃもまた正しいとは言えない。より正確に言えば、我々が現在観測できる領域には果て（限界）があるものの、それは我々が住む全宇宙に果てがあることを意味するわけではない。例えば、写真４に示すように、雲に覆われた状態をいくら見続けようと、その下にも世界が広がっているかどうかまではわからない。その意味において、この雲は観測できる世界の果てである。しかしながらむろん、これは単に見かけ上の果てに過ぎないことは言うまでもない。

ガリレオの自作望遠鏡からハッブル宇宙望遠鏡に至る、あらゆる手段を駆使して、天文学者は観測できる世界の果てを拡大してきた。その結果、写真2や3と同じく、宇宙はあ

写真5：高知県いの町の食堂あおぎから望む仁淀川
写真6：あおぎのテラスから食パンで鳶を呼ぶ
写真7：I町長とI先生
（以上3点、2018年12月15日）

らゆる方向でほぼ同じような姿であることを見いだした。そのため、未だ観測できない領域の先にも、同じ性質の空間が広がっていると確信している。つまり、cとは逆に、この世界には果てはないと結論したほうが良さそうなのだ。

それどころか、この宇宙の果てを探るさらなる冒険を通じて、重力のために宇宙の膨張速度が徐々に遅くなるという単純な法則が間違っており、

d　宇宙の約7割は、引力ではなく斥力（反発力）をおよぼすダークエネルギーで占められている

という、新たな宇宙の描像までもが見いだされている。

さて以上の比較から明らかなように、子供の頃に眺めて育った土佐の太平洋の果ては、宇宙論研究の最前線と本質を共有している。やはり私の研究者人生の原点は、太平洋だったのだ。[*134]

ところで、今回の帰省時に、すでに定年を迎えた高校時代の恩師であるI先生から、町内会の集まりで講演するように頼まれた。I先生は、高知市から10キロメートルほど西に位置する、いの町にお住まいである。四万十（しまんと）川に比べると知名度は低いかもしれないが、同等あるいはそれ以上に美しい仁淀（によど）川沿いの静かな町だ。

昼食に連れて行っていただいた食堂からは、仁淀川と山の見事なバランスを示す景色を堪能できた（写真5）。その後、I先生が「ちょっと面白いものを見せてあげよう」と言い残し、テラスに女将を連れてきてくれた。よく見ると彼女は、手に大きな食パンを持っている。そして、ただちに「おいでー、パンよー」と絶叫しながら、ちぎった食パンを投げ始めたのだった（写真6）。

写真5の左上の山の「果て」のあたりに、鳶（とんび）がおり、それを呼び寄せるのだという。それらしき気配が全くないにもかかわらず彼女は平然と、周りにいる我々にも叫ぶように強要し、私も繰り返し大声を上げる破目に。しばらくすると、店内のお客さんから「すいませんが、少し急いでいるので」とクレームを受けた彼女は、「では後はお願いします。カメラを向けると来ないので、写真はだめですよ」と言い残して再び店内へ戻ってしまった。

仕方なく残された私を含む数名が「おいでー、パンよー」という謎の言葉を絶叫しつつ待つこと約10分。なんと三羽の鳶が美しいフォームで旋回を始め、そのうちの一羽が川面

＊134 **高知県人は正直である**：繰り返し強調しておくが、これは全くのでたらめである。

に浮かんでいた食パンをくわえてさっそうと飛び去っていったのである。あまりにも優雅なその動作に、「鳶に油揚げをさらわれる」ということわざの由来を実感した。

その後の講演会では、平均年齢70歳以上の元気な皆さん約40名を前に、私も楽しみながら話をさせていただいた。そこには、高校の同級生で、現在い の町長をされているIさんも駆けつけてくれた（写真7）。彼女には、美しい仁淀川を守るべく、ますます頑張っていただきたいものである。*[135]

講演後の懇親会では、今までの人生で最高に美味しい戻り鰹のたたきをいただいた。その際、同席された方がいきなり、「俺は、小さい頃から海の先には何があるのかずっと考えちょった」と語り始めて、驚かされた。私の講演では、冒頭の西原理恵子の名言は紹介したものの、海の果てと宇宙の果ての対応については何も触れていない。つまり、海を眺めることで世界の果てに思いを馳せるほどの高い教養をそなえた哲学的な高知県人はごく普通に生息しているようだ。そしてこれこそが、今回の雑文を思い立ったきっかけでもある。*[136]

（2019年3月）

＊135 **ふるさと納税**：私はIさんが町長になって以来、いの町にふるさと納税をしている。ぜひとも一度仁淀川を訪れてその美しさを堪能した上で、ふるさと納税をされることをお勧めしたい。

＊136 **宣伝**：ただし、今回のネタは、決してその方の発言からパクったものではない。その証拠に、宇宙の果てと地平線球の話は、拙著『不自然な宇宙』のメインテーマとして登場していることを強調しておきたい。

おわりに

２００７年６月に『ＵＰ』に依頼されて初めて怪しげな雑文を書いたときには、まさかそれが連載になろうとは、さらにはその後17年間にわたり65回も続く連載になるなどとは、夢にも思わなかった。今振り返ってみればあっと言う間だったが、その時々の自分の興味やものの考え方を突き詰める機会を与えてくれた。とはいえ、何事も引き際が肝心というわけで、２０２３年度末の東京大学定年退職を機に、その連載も終えることにした。

その連載は、『人生一般ニ相対論』（東京大学出版会　２０１０年）『三日月とクロワッサン』（毎日新聞出版　２０１２年）、『宇宙人の見る地球』（毎日新聞出版　２０１４年）、『情けは宇宙のためならず』（毎日新聞出版　２０１８年）、『宇宙する頭脳』（朝日新聞出版　２０２４年）、そして本書の計６冊の書籍として出版していただけた。あらためてそのような機会を与えていただいた東京大学出版会、特に長年にわたり私の編集担当を務めてくれた丹内利香さんに心から御礼申し上げたい。

私はかなり以前から、定年退職後は故郷の高知に戻ろうと考えていた。幸いにも2024年4月から高知工科大学に職を得ることができた。ほぼ半世紀ぶりに故郷で暮らし始めてすぐ、長いこと忘れていた都会とは全く異なる時間の流れのもとで生きる感覚がよみがえってきた。本書の中の「土佐から望む宇宙の果て」はまさにそれに対応するややノスタルジックな文章であるが、それを毎日味わえる故郷の良さを実感している。そのような第2の人生の最初を飾る記念すべき1冊となった本書の出版にあたり、担当していただいた田中伊織さんには大変お世話になった。本書を手にとっていただいた皆さんに、心から感謝いたします。私のモットーは「科学を通して世界を知る」である。本書が読者の方々にそれを追体験する機会となることを祈ってやまない。

2024年6月3日

須藤　靖

初出一覧

ＡＩなき世界に戻れるか？　注文の多い雑文　その63『ＵＰ』（東京大学出版会）２０２３年９月号

我々は宇宙人をどこまで理解できるのか　注文の多い雑文　その48『ＵＰ』（東京大学出版会）２０１９年12月号

ラマヌジャンマシン　注文の多い雑文　その54『ＵＰ』（東京大学出版会）２０２１年６月号

物理学者は自由だ　注文の多い雑文　その56『ＵＰ』（東京大学出版会）２０２１年12月号

マルチバースとしてのメタバースをめぐるメタな考察　集英社クオータリー『ｋｏｔｏｂａ』（集英社）２０２３年夏号（６月売）

アインシュタインは本当に「人生最大の失敗」と言ったのか　注文の多い雑文　その43『ＵＰ』（東京大学出版会）２０１８年９月号

火星と宇宙植物学　注文の多い雑文　その46『ＵＰ』（東京大学出版会）２０１９年６月号

眠れなくなる桁の桁の話　注文の多い雑文　その47『ＵＰ』（東京大学出版会）２０１９年９月号

ブラック天文学：24時間戦えますか　注文の多い雑文　その49『ＵＰ』（東京大学出版会）２０２０年３月号

中国と三体世界　注文の多い雑文　その51『ＵＰ』（東京大学出版会）２０２０年９月号

基礎科学とヘッジファンド　注文の多い雑文　その53『ＵＰ』（東京大学出版会）２０２１年３月号

ゥウウウウーーーＵＦＯ！　注文の多い雑文　その55『ＵＰ』（東京大学出版会）２０２１年９月号

フラットアーサーの言い分　注文の多い雑文　その58『ＵＰ』（東京大学出版会）２０２２年６月号

「わかる」という意味　『窮理』第５号（窮理舎）２０１６年12月

門前のＡＩ習わぬ経を読む　注文の多い雑文　その62『ＵＰ』（東京大学出版会）２０２３年６月号

世界を切り刻む科学とありのままに愛でる科学　注文の多い雑文　その59『ＵＰ』（東京大学出版会）２０２２年９月号

土佐から望む宇宙の果て　注文の多い雑文　その45『ＵＰ』（東京大学出版会）２０１９年３月号

須藤 靖（すとう やすし）

高知工科大学特任教授。東京大学名誉教授。一九五八年、高知県安芸市生まれ。東京大学理学部物理学科卒業、東京大学大学院理学系研究科物理学専攻博士課程修了（理学博士）。宇宙物理学、特に観測的宇宙論と太陽系外惑星が専門。著書に『一般相対論入門』（日本評論社）、『人生一般ニ相対論』『ものの大きさ』（共に東京大学出版会）、『不自然な宇宙』（講談社ブルーバックス）、『宇宙は数式でできている』『宇宙する頭脳』（共に朝日新書）など多数。

インターナショナル新書一四四

AIなき世界に戻れるか？
物理学者、17の思考実験

二〇二四年八月一二日　第一刷発行

著　者　須藤　靖
発行者　岩瀬　朗
発行所　株式会社　集英社インターナショナル
〒一〇一－〇〇六四　東京都千代田区神田猿楽町一－五－一八
電話　〇三－五二一一－二六三〇
発売所　株式会社　集英社
〒一〇一－八〇五〇　東京都千代田区一ツ橋二－五－一〇
電話　〇三－三二三〇－六〇八〇（読者係）
〇三－三二三〇－六三九三（販売部）書店専用
装　幀　アルビレオ
印刷所　大日本印刷株式会社
製本所　大日本印刷株式会社